La collection « Azimuts »
est dirigée par Monique Gagnon-Campeau,
Patrick Imbert et Jacques Michaud

D1532108

Liberté défendue
l'Abitibi concentrationnaire

Azimuts | roman historique

Gilles Massicotte
Liberté défendue
L'Abitibi concentrationnaire

Préface de Denys Chabot

Données de catalogage avant publication (Canada)

Massicotte, Gilles, 1949-
    Liberté défendue : l'Abitibi concentrationnaire

(Azimuts/roman)

ISBN 2-921603-78-0

I. Titre.   II. Collection

PS8576.A796L52 1998   C843'.54   C98-941001-3
PS9576.A796L52 1998
PQ3919.2.M37L52 1998

Nous remercions le Conseil des Arts du Canada de l'aide accordée à notre programme de publication. Nous remercions également la Société de développement des industries culturelles et Patrimoine canadien de leur appui.

Dépôt légal — Bibliothèque nationale du Québec, 1998
                     Bibliothèque nationale du Canada, 1998

Correction d'épreuves : René Campeau

Éditions Vents d'Ouest inc.
99, rue Montcalm
Hull (Québec)
J8X 2L9
Téléphone : (819) 770-6377
Télécopieur : (819) 770-0559

Diffusion Canada : Prologue
Téléphone : (450) 434-0306
Télécopieur : (450) 434-2627

Diffusion en France : DEQ
Téléphone : 01 43 54 49 02
Télécopieur : 01 43 54 39 15

Aux Ukrainiens, aux Canadiens et aux Québécois,
pour que le souvenir demeure.

Remerciements

À Anne-Michèle Lévesque,
auteure de Val-d'Or,
qui m'a initié à l'écriture.

À Myron Momryk,
des Archives nationales du Canada.

À Peter Melnycky,
historien d'Edmonton, Alberta.

À Daniel Giguère,
auteur montréalais,
pour ses précieux conseils.

Je crois qu'ils étaient des gens bien ordinaires
qui voulaient améliorer leur sort dans un grand pays...
Mais leur rêve s'est écroulé.
Mary Manko HASKETT
(Traduction libre de l'anglais)

Préface

*D*ANS *la récente littérature québécoise issue des régions, il se des-
sine un courant novateur qui, par les aspects inexplorés de
l'existence qu'il a su éclairer, par le renouvellement de ses thèmes, par
la liberté de ses formes et la modernité de ses moyens d'expression,
échappe résolument aux complaisances, aux limitations du régiona-
lisme et acquiert assez spontanément une portée universelle.*

Marie-Clarisse de Jacques Michaud, L'Écrivain public *de
Pierre Yergeau,* La Bête rouge *de Jeanne-Mance Delisle sont, en
Abitibi, parmi les ouvrages les plus emblématiques de ce nouveau
paysage littéraire. Et il ne fait pas de doute que* Liberté défendue, *de
Gilles Massicotte, relève de cette même fibre.*

*Ce roman s'inspire d'un épisode peu glorieux de l'histoire cana-
dienne. Il raconte en effet l'enfermement assez arbitraire, en camp de
détention, au cours de la Première Guerre mondiale, à Spirit Lake,
en Abitibi, d'immigrants non-naturalisés provenant de pays ennemis,
et tout particulièrement d'Ukrainiens originaires de la périphérie de
l'Empire austro-hongrois en voie de dislocation.*

*Plus de 1 300 prisonniers ont séjourné dans ce centre d'interne-
ment de la région d'Amos, au cours des années 1915-1916. Certains*

*y ont trouvé la mort, emportés par la tuberculose. Un désespéré fut
même abattu lors d'une tentative d'évasion. Événement tragique qui
servira de ressort dramatique au roman et que traduit bien l'ambi-
guïté de son titre :* Liberté défendue.

*De ce lieu de réclusion, dûment choisi dans la sauvagerie d'une
région au peuplement tout récent, que seul le nouveau tronçon de la
ligne de chemin de fer National Transcontinental reliait à l'ensemble
du pays, il ne reste pour ainsi dire rien. Rien, sinon un petit cimetière
clôturé, perdu en pleine forêt, avec ses dix-neuf croix de bois créosoté,
interchangeables, sans inscription funéraire aucune. Ces pathétiques
ornements en bois, qui furent pour la plupart piétinés lors de récents
« ravages » d'orignaux, sont tout autant les témoins de destins énig-
matiques que d'une longue et troublante amnésie collective.*

*Écrit dans la foulée d'une recherche historique rigoureuse,
exhaustive autant que faire se peut, ce roman parvient tout au long
de son fil narratif à se maintenir en un juste équilibre entre les faits
avérés et la fiction. Si la distance dans le temps a permis à son auteur
de jouir d'un recul qui permet la vue d'ensemble, mais aussi d'un sup-
plément d'objectivité et d'une multiplication des angles d'approche,
Gilles Massicotte a su tout autant nous montrer de l'intérieur les
déchirements, les vexations et les colères impuissantes de ces hommes,
de ces femmes et de ces familles entières de détenus.*

*Nulle parole ne parviendra jamais à décrire les humiliations et
les indignités de ce sombre univers concentrationnaire, mais c'est
toutefois dans une grande luminosité concrète que l'auteur nous en
révèle les aléas. Si, d'une part, Gilles Massicotte respecte scrupuleuse-
ment les données de l'Histoire, par ailleurs son roman est aussi d'une
belle facture littéraire, tant par sa clarté d'exposition, l'efficacité de
son expression, que par la force de ses détails et l'amplitude de son
enveloppement.*

*Le lecteur se retrouve dans l'univers d'un huis clos sous étroite
surveillance, où la liberté de mouvement est nécessairement aussi
limitée que celle d'expression est restreinte. Malgré cela, on lit cet
ouvrage avec un plaisir soutenu. L'intérêt du lecteur ne se relâche pas.*

Couronné du Prix littéraire de l'Abitibi-Témiscamingue, le manuscrit de Liberté défendue *a fait l'unanimité des cinq membres du jury. Tous ont salué là un ton nouveau, une pulsation et un tempérament, une grande vigueur d'expression, un étonnant sens de la narration, un éclairage sur l'Histoire qui tente de lui restituer son sens multiple.*

Ces Ukrainiens qui, bien malgré eux, furent parmi les premiers occupants du pays abitibien, Gilles Massicotte ne les a arrachés à leur grande désolation que pour leur rendre leur dignité première, leur intégrité, tant il est vrai qu'il a bien su leur redonner vie et leur prêter une voix, un destin qui les singularise à tout jamais.

Denys CHABOT
Société d'histoire de Val-d'Or

Prologue

En 1896, Sir Wilfrid Laurier devient premier ministre du Canada. Il gardera le pouvoir jusqu'en 1911. Sous le règne de ce grand homme, le pays connaît un essor gigantesque : les chemins de fer se ramifient en tous sens, allant jusqu'à percer la forêt du nord ; les vastes régions de l'ouest se peuplent et les nappes ondulantes de blé d'or remplacent partout les herbes folles de la prairie.

Attirés par la politique nationale du Dominion, plus de 170 000 Ukrainiens, désireux de goûter à la prospérité en terre libre, émigrent alors au pays pour y exploiter des fermes dans l'ouest ou pour œuvrer dans les centres industriels. Montréal devient ainsi un pôle majeur de travailleurs immigrants, tout comme Fort William et Winnipeg.

Puis, arrive la dépression d'avant-guerre : le début de la descente aux enfers des immigrants non-naturalisés. D'un océan à l'autre, ils sont les premiers à perdre leur emploi, constituant ainsi une masse toujours grandissante de chômeurs qui, irrémédiablement, se retrouvent dépendants de l'assistance sociale alors dispensée par les villes.

La plupart de ces immigrants sont Ukrainiens et viennent de provinces dominées par l'Autriche-Hongrie, comme la Galicie. Leur origine a des conséquences encore plus dramatiques pour eux. Par inadvertance, ils se retrouvent dans une contrée qui entrera bientôt en guerre contre la monarchie austro-hongroise, une domination qu'ils ont pourtant fuie.

En 1914, les grandes puissances européennes sont partagées en deux groupes. L'un d'eux est composé de la Grande-Bretagne, la France et la Russie ; l'autre, la Triple Alliance, comprend l'Allemagne, l'Autriche-Hongrie et l'Italie. Il existe entre ces deux groupes une hostilité qui va croissant, au point où le moindre accroc menace de les précipiter dans un terrible conflit. Cet incident ne tarde pas à se produire.

Le 28 juin 1914, l'Archiduc François-Ferdinand, héritier du trône d'Autriche-Hongrie est assassiné avec sa femme à Sarajevo, dans la province autrichienne de Bosnie. Ce territoire est surtout peuplé de Slaves qui ont à plusieurs reprises manifesté leur mécontentement face à la domination autrichienne. Le gouvernement autrichien rend les Serbes responsables de ces troubles et, prenant prétexte de l'assassinat de l'archiduc, déclare la guerre à la Serbie le 28 juillet 1914.

Comme la Russie se prépare à aller au secours de la Serbie, l'Autriche et l'Allemagne lui déclarent la guerre le 1er août 1914. Deux jours plus tard, c'est au tour de la France. L'Italie, quoique membre de la Triple Alliance, décide de conserver la neutralité. La Grande-Bretagne, dont l'attitude était d'abord indécise, se joint au conflit lorsque les Allemands violent la neutralité de la Belgique pour aller envahir la France le 3 août 1914. Quelques mois plus tard, un premier contingent de soldats canadiens part pour la Grande-Bretagne. Le Canada, comme colonie de l'Empire britannique, est en guerre.

Tandis que des milliers de néo-Canadiens d'origine ukrainienne s'enrôlent dans les Forces armées canadiennes, le gouvernement conservateur de Sir Robert Laird Borden décrète à toute vitesse une série de règlements touchant la population d'immigrés non-naturalisés provenant des pays ennemis.

Dès lors, ces Européens d'origine sont considérés comme des étrangers ennemis qu'il faut contrôler, enregistrer et peut-être même interner. Ainsi, tous ces ressortissants sont passibles d'arrestation et de détention, spécialement s'ils tentent de quitter le Canada. Beaucoup d'Ukrainiens non-naturalisés sont effectivement arrêtés alors qu'ils essaient de franchir la frontière des États-Unis, un pays neutre à ce moment-là.

Avec la Loi sur les mesures de guerre, décrétée le 22 août 1914, le gouvernement Borden s'octroie encore plus de pouvoirs pour censurer les médias, arrêter, détenir, déporter, exproprier et disposer des biens de ces étrangers dits ennemis.

En octobre 1914, la masse toujours grossissante de ces gens sans emploi et miséreux, amène Ottawa à édicter un nouvel arrêté en conseil autorisant l'installation de bureaux d'enregistrement à travers le Canada. Tous les étrangers ennemis résidant dans un rayon de 20 milles de ces bureaux doivent s'y inscrire dans les trente jours. Ceux qui s'y conforment restent en liberté sur parole, mais doivent se rapporter à tous les mois. Ils doivent aussi avoir constamment en leur possession une carte d'identité spéciale ainsi que des documents autorisant leurs déplacements. Ceux qui sont considérés dangereux pour la sécurité nationale ou qui refusent de s'enregistrer ou contreviennent à leur parole, sont internés comme prisonniers de guerre, au même titre que les indigents... Dans les faits, c'est finalement ce dernier groupe qui constitue la majorité des détenus. À la fin de l'hiver 1914-1915, environ 4000 de ces nécessiteux sont déjà internés. Les arrestations continuent.

Les Britanniques demandent au Canada de considérer les Ukrainiens comme des amis, mais Ottawa persiste dans sa manière d'agir. Des 80 000 immigrants enregistrés comme étrangers ennemis, 8 579 sont confinés dans des camps de concentration. La plupart de ces exclus sont des civils non combattants provenant de l'Autriche-Hongrie et plus spécifiquement de l'Ukraine. Suivent ensuite les Allemands. Moins nombreux sont les Polonais, les Croates, les Serbes et les Slovaques. Il y a aussi certains Turcs et Bulgares.

Ces camps de concentration sont établis à 24 endroits à travers le pays. Cet immense réseau de prisons est administré par le *Internment Operations Branch* à Ottawa, dirigé par un homme de fer : le général William Dillon Otter. Ce vieil officier ontarien sorti de sa retraite est surtout connu pour sa participation à la guerre contre les Métis de Louis Riel en 1885.

Dans la province de Québec, en plus de Montréal, Beauport et Valcartier, Otter a prévu établir un camp de concentration à 45 milles à l'est de Belcourt en Abitibi. Mais suite aux pressions exercées par M. Hector Authier, maire d'Amos, c'est finalement à 5 milles à l'ouest de sa municipalité que le projet va se concrétiser. Les habitants de la région ne tardent pas à y ériger les premières cabanes destinées à abriter prisonniers et gardiens. Pour leur part, les commerçants d'Amos se félicitent de cette manne qui va leur tomber du ciel. Spirit Lake ouvre le 13 janvier 1915 et va devenir le plus grand camp d'internement au Québec. Voici son histoire.

Chapitre I

Les premiers prisonniers

Spirit Lake, Québec
Le mercredi, 13 janvier 1915

L E SOL abitibien était blanc, les conifères, givrés. Le froid, soufflé par le vent, envahissait ce grand territoire nordique que seul un double sillon de fer reliait au reste du pays : le Transcontinental.

Ce jour-là, une locomotive, en provenance de Montréal, traversait la région d'est en ouest, tirant, entre autres, cinq wagons-passagers. L'engin crachait une fumée opaque tandis que son teuf-teuf accéléré et incessant brisait le silence de la nature qui tremblait au passage du convoi.

Les quatre premières voitures étaient bondées d'hommes. Un premier groupe, impassible, dans l'uniforme aux pantalons bouffants et armé de carabines, occupait les extrémités. L'autre groupe, le plus important, était composé d'individus de tous âges, vêtus de vêtements civils. L'incrédulité et la peur se lisaient sur leur visage : ils ne comprenaient pas pourquoi ils étaient là, ne savaient pas ce qui les attendait. Les grandes étendues sauvages qu'ils apercevaient dehors les faisaient frissonner.

À bord de la dernière voiture, le jeune lieutenant John Gilmour du 282ᵉ Régiment occupait un banc avec l'interprète Joseph Nordman. Deux sous-officiers avaient pris place devant eux. Ils étaient silencieux, perdus dans leurs pensées. Le voyage avait été éreintant et tout désir de conversation était inhibé. À l'écart, un autre militaire faisait bande à part. De stature élancée, le teint foncé et portant moustache, l'homme au regard froid arborait sur l'avant-bras gauche de son costume les trois chevrons surmontés d'une couronne : le sergent-major Jim Buckley.

À l'approche de Spirit Lake, au cœur de la forêt, un beuglement aigu sortit des entrailles de la machine. Quelques instants plus tard, le train ralentit son allure. Le lieutenant Gilmour se tourna alors vers sa fenêtre à demi glacée, afin de balayer du regard le spectacle qui s'offrait à ses yeux. À la hauteur d'un lac, de l'autre côté de la voie ferrée, la flore avait reculé, laissant place à un vaste terrain enneigé sur lequel se dressaient de longues cabanes faites de planches de sapin. Alors que les cheminées fumaient, de grands glaçons apparaissaient tout le long des extrémités des toitures. La plupart des constructions avaient été regroupées sur le terrain plat. Deux autres baraques trônaient au fond, sur le faîte d'une petite colline. « C'est donc ici que sera la future ferme expérimentale » se dit Gilmour. Puis, il reconnut, debout devant ce qui semblait être un poste de garde, le colonel William Rodden, appuyé sur une canne. Le vieil homme était accompagné du capitaine Labelle. Les deux officiers étaient coiffés d'un chapeau doublé de fourrure et emmitouflés dans un long manteau militaire. Un peu en retrait, à leur droite, se tenait un sergent qui posait fièrement dans son uniforme.

Sitôt le convoi arrêté, Buckley se redressa, ajusta képi et tunique à col officier, revêtit son pardessus et sortit, suivi des deux caporaux. Dehors, il jaugea la situation d'un coup d'œil et, d'un pas assuré, se dirigea vers les autres voitures avant d'ordonner d'un ton sec :

– Ouvrez!

Ses subalternes se précipitèrent sur les portières et les firent grincer. Un premier groupe de militaires descendit alors de chacune des voitures, armes à la main et s'aligna de l'autre côté de la voie ferrée. Ils furent bientôt suivis par les hommes en civil, refoulés dehors par d'autres soldats. Ces derniers prirent ensuite position devant leurs pairs pour ceinturer ceux qui se trouvaient au milieu. Le sergent qui était au poste de garde abandonna sa position pour aller se placer à la tête du peloton ainsi constitué.

Lorsque tout fut en place, le sergent-major tonitrua un « Attention! » La section obéit comme un seul homme. Le sous-officier se rendit alors entre les rangs, scrutant, dévisageant, comptant les individus encerclés. Ces derniers grelottaient, avaient le visage hagard et les traits tirés. Son contrôle complété, Buckley alla se rapporter au lieutenant Gilmour qui venait de quitter son compartiment. Arrivé à la hauteur de son supérieur, il claqua des talons et salua avant de prendre la parole.

– Tout le monde est là, mon lieutenant.

– Très bien, sergent-major. Veuillez les conduire à la baraque numéro 1, où monsieur Nordman les informera sur les règlements du camp. Le sergent vous guidera.

– À vos ordres, monsieur.

Après un autre salut, Buckley fit volte-face et retourna devant ses hommes. Il se mit ensuite au garde-à-vous puis, hurla :

– Premier rang, à droite, droite; deuxième rang, à gauche, gauche!

La manœuvre complétée, le sergent-major continua :

– En avant, marche!

La colonne se mit en mouvement, suivie par l'interprète. Le sous-officier beuglait sans arrêt :

– Gauche, gauche; gauche, droite, gauche…

Alors qu'ils arrivaient à destination, un autre ordre retentit.

– Groupe, halte!

Les soldats s'arrêtèrent net, freinant du même coup ceux qu'ils escortaient. Un garde se tenait à la porte de la cabane. Il l'ouvrit et, sur l'ordre de Buckley, les civils y furent entassés.

Pendant ce temps, le lieutenant Gilmour s'était rendu devant le Colonel Rodden.

— Les 109 prisonniers sont présents mon commandant. Tous des immigrés autrichiens, mais de langue ukrainienne.

— Parfait. Repos, lieutenant. Bienvenue à Spirit Lake.

La baraque numéro 1 avait une forme rectangulaire. Nulle fenêtre ne perçait les murs contre lesquels des lits superposés étaient dressés. Au milieu, deux longues rangées de tables et de bancs. L'endroit était chauffé par deux immenses poêles à bois installés aux extrémités de la cabane. Au plafond, quatre lanternes sifflaient une lueur vacillante qui faisait danser les ombres.

La plupart des Ukrainiens purent s'asseoir. Ceux qui n'avaient pas de siège étaient restés debout au fond de la salle. Des gardiens armés avaient pris position partout dans l'enceinte. Alors que dehors les prisonniers tremblaient de froid dans leurs vêtements inadéquats pour l'hiver abitibien, à l'intérieur, la sueur perlait déjà sur leur front. La chaleur émanant de cette foule compacte, combinée à celle provenant des appareils de chauffage, rendait l'air suffocant.

Joseph Nordman, dos à la porte, s'adressa alors aux détenus en donnant de la voix. À ses côtés, se tenait le sergent-major Buckley.

— Vous êtes arrivés au camp d'internement de Spirit Lake. Alors que vous étiez démunis et oisifs dans vos taudis de Montréal, ici, vous aurez à travailler dur, car il y a beaucoup à faire. Certains de ces travaux concernent votre subsistance, votre confort et votre propreté. Ainsi, un petit nombre d'entre vous sera affecté à la cuisine. Il vous faudra aussi aller quérir, dans la forêt environnante, le sapinage pour vos matelas de branches et le bois nécessaire pour chauffer vos baraques. Enfin, vous aurez la responsabilité de nettoyer les locaux qui vous seront assignés, ainsi que les latrines à côté de la cuisine. D'autre part, le ministère de l'Agriculture du Canada a prévu établir ici une ferme expérimentale. Vos services seront donc aussi requis pour le gouvernement. Il faudra bûcher les arbres, drainer la terre, ériger d'autres habitations, construire des chemins et dresser des clôtures. Il y a parmi vous des ébénistes, des forgerons et autres gens de métiers. Vos connaissances seront mises à profit. Un crédit de vingt-cinq cents par jour vous sera alloué pour une besogne quotidienne de huit heures et demie. Ces gains vous serviront à acheter des biens à la cantine : cigarettes, friandises, papier à lettres, crayons, etc.

L'homme fit une pause et jeta un regard vers son voisin. Buckley hocha sèchement la tête, comme pour l'inciter à continuer. L'interprète reprit alors son souffle avant de poursuivre devant un auditoire muet.

— Par ailleurs, comme prisonniers de guerre, vous êtes soumis aux lois et règlements militaires du Canada. Vous êtes donc passibles de sanctions disciplinaires pour tout crime, méfait ou insubordination. Votre argent, vos bijoux et autres articles pouvant favoriser une évasion vous seront confisqués. Votre courrier sera vérifié, censuré. Vous aurez droit à l'envoi de deux lettres par semaine, mais toute correspondance avec votre pays d'origine vous est défendue. Vos baraques seront inspectées à tous les matins et vous serez dénombrés deux fois par jour. Le couvre-feu est à neuf heures chaque soir. Vous devez le respecter. Et n'oubliez surtout pas que vous serez constamment sous la surveillance de gardes armés qui ont l'ordre de tirer si vous tentez de vous évader.

Son auditoire, amorphe depuis le début, remua soudainement. Chuchotements, grognements et exclamations jaillirent. L'interprète se figea. Sur le qui-vive, les soldats se raidirent tandis que le sergent-major se déplaçait vers l'avant, comme pour mieux narguer ses vis-à-vis de son regard glacial. Il les dévisagea, les toisa

jusqu'à ce que, graduellement, l'agitation laisse place à un silence
de nuit. Buckley braqua alors les yeux sur son intermédiaire :

– Enchaînez !

Nordman ravala sa salive, enleva sa casquette, s'essuya le
front et, s'exécuta.

– Vous serez installés, soit dans cette baraque, soit dans celle
d'à côté. Ces lieux vous serviront de salle à manger, de salle de
séjour et de dortoir. Il est strictement défendu d'y fumer après le
couvre-feu. Un capitaine de groupe sera nommé parmi vous pour
chacune des cabanes. Ils seront vos porte-parole auprès des autorités. Un dispensaire a été bâti à l'extérieur et à l'ouest du camp...

Le monologue continua. Un lit fut ensuite attribué à chacun
des prisonniers. Les effets personnels furent vérifiés, certains
biens, saisis. Puis, ce fut le défilé vers le service de l'intendance où
on distribua à chacun, cinq couvertures et divers vêtements de
laine, des mocassins, une canadienne, une casquette, des gants et
un havresac. Vint alors l'affectation des différentes tâches. Un
premier groupe de cinq cuistots fut constitué de Julian Zator,
Fred Heyciak, Jacob Debroska, Rodolphe Veink et Stanislas Rak.
D'autres furent consignés à un planeur portatif, à l'abattage et à
l'écorçage. Enfin, les menuisiers furent choisis et on leur présenta
un nouvel arrivant, leur patron civil en quelque sorte : le contremaître Paul St-Denis, un homme de taille moyenne proche de la
quarantaine, le cheveu rare. Nordman leur précisa la nature des
travaux à effectuer :

– D'ici la fin de l'année, ce camp abritera plus d'un millier
de vos compatriotes. Des familles complètes seront aussi installées plus à l'est, à proximité de la gare. Il est donc urgent d'ériger
les bâtiments nécessaires pour loger tout ce monde. Ce sera notre
priorité. Une chapelle sera également construite...

L'exposé dura encore et encore. À la fin, Zator et compagnie
furent interpellés et avec eux, l'interprète prit la direction de la
cuisine. Une escorte avait été affectée au groupe par le sergent-
major. D'autres ordres tonnèrent et les militaires quittèrent la

baraque. Certains prirent position à l'extérieur. Les autres, en colonne par deux, se rendirent à leur caserne, une cabane pareille à celle des prisonniers, située plus à l'est. Après avoir contemplé les mouvements de ses troupes, le sergent-major Buckley gagna lui aussi ses quartiers.

La cuisine du camp était de dimension semblable à celle des baraques. On y trouvait cinq fourneaux, plein d'étagères et de comptoirs encastrés d'éviers ainsi que des ustensiles, de la vaisselle et des chaudrons à profusion. Un homme grassouillet au visage rubicond, tout de blanc vêtu et coiffé d'une toque, le regard hautain, accueillit le groupe de Zator. À l'aide de l'interprète, Pascal Fortier leur débita alors les règlements qui prévalaient dans son fief puis, selon ses directives, les hommes mirent la main à la pâte tandis que Nordman tirait sa révérence.

Le soleil était couché depuis longtemps quand les captifs purent enfin consommer leur premier repas au camp : de la soupane.

Les marmitons avaient quitté depuis peu la cuisine pour regagner leur abri. Ils étaient épuisés et se couchèrent sans autre cérémonie, regroupés à l'avant, près du poêle qui répandait une douce chaleur. Dehors, le ciel était couleur d'ébène. Un calme absolu régnait dans le camp. Soudainement, une sirène jeta son cri pareil à une longue plainte. Au même moment, un soldat en faction au poste de garde scruta la façade des camps des prisonniers. De la baraque numéro 1, les petites fenêtres laissaient échapper un flux lumineux qui allait décroissant, laissant graduellement l'obscurité prendre la place. Le prisonnier Maftey Rotari, en caleçon, venait d'éteindre le fanal devant lui et regagnait son lit à tâtons. Il avait roulé une couverture de laine en guise d'oreiller, en avait étendu une deuxième sur les planches de sapin. Arrivé à sa couche, il s'y glissa et s'emmitoufla. L'homme, dans la trentaine avancée, était sur le point de s'assoupir lorsqu'un chuchotement parvint à ses oreilles.

– Rotari… Dors-tu?

Il reconnut la voix de son voisin Stefan Galan.

– Presque. Que veux-tu?

– Que penses-tu de ce travail pour le gouvernement? Moi, ça me fait peur. Si l'Autriche gagne la guerre, nous serons sûrement accusés de collaboration avec l'ennemi. Ne crois-tu pas?

Rotari soupira. Il tourna la tête en direction de son interlocuteur dont il devinait la présence là, tout près.

– Au diable l'Autriche! Nous sommes Ukrainiens. Et puis, que les empires centraux sortent vainqueurs dans ce conflit est une chose. Qu'ils viennent envahir le Canada en est une autre.

– Bah! De toute manière, j'ai entendu dire que nous n'étions pas obligés.

– Pas obligés? Mon œil! Je vais te dire une chose, Galan. Je travaillais dans la construction à Montréal. Je me rapportais à tous les mois. J'étais en règle et me croyais à l'abri. Oh! je n'étais pas riche, mais j'arrivais à subsister! Puis, les soldats sont venus m'arrêter et voilà où je me retrouve. Tu sais pourquoi?

– Non.

– Parce qu'ils ont besoin de menuisiers ici à Spirit Lake. Voilà pourquoi.

– Mais ils n'avaient pas le droit.

– Et alors? De l'injustice! Il va y en avoir plein. Ce n'est qu'un début. Tiens! Même nos libertés sont trafiquées. Je connais un certain Samuel Olynyk qui doit payer deux piastres chaque fois qu'il se présente au bureau d'enregistrement, sans quoi, son agent le menace de l'envoyer dans un camp de concentration. On appelle ça le racket de la protection. C'est dégueulasse!

– Moi, c'est décidé. Je ne travaillerai pas pour ce pays. Pas question! Ils m'ont emprisonné. Qu'ils s'occupent de moi, maintenant.

– À ta place, j'y réfléchirais à deux fois. Tu as vu ce Buckley. Je connais ce genre d'homme. C'est une brute qui t'en fera voir de toutes les couleurs si tu résistes. Crois-moi, la seule chose qui importe maintenant, c'est de rester en vie. Allez! Il faut dormir. Demain sera une grosse journée.

– Ouais! Bonne nuit.

– C'est ça.

Chapitre II

Au travail!

Le jeudi, 14 janvier 1915

L A PORTE de la baraque s'était ouverte avec fracas. Tandis que la silhouette d'un soldat se découpait sur le seuil, arme à la main, un autre homme marchait d'un pas lourd en vociférant.

— Debout, bande de fainéants! C'est l'heure de se lever. Déjeuner dans une demi-heure, suivi de l'inspection. Soyez prêts! Allez, ouste!

Le militaire retourna sur ses pas tout aussi vite qu'il était entré et la porte se referma brutalement.

— Qu'est ce que c'était? fit une voix.

— Un réveille-matin sur deux pattes, répondit quelqu'un.

Des rires éclatèrent d'un peu partout.

— Où suis-je? se demanda à haute voix Mike Zrobok, tout en se massant les yeux.

— Chez toi, en Ruthénie, petite tête.

On s'esclaffa de nouveau. Les corps commencèrent à se mouvoir. Des allumettes craquèrent et la lumière se fit. Jan Drobei, le capitaine du groupe, pressé par le temps, lâcha ses instructions sans tarder.

— Brrrr! Il fait froid ici. Zrobok! Pawliuk! Occupez-vous du feu! Wenzel! Toi et ton équipe, dépêchez-vous à vous habiller et allez chercher le déjeuner.

Tout comme Absenky Pawliuk à l'autre bout, le Ruthénien se précipita vers le poêle tout près de son lit et en ouvrit le portillon. D'une branche de bois, il remua la cendre d'où quelques tisons émergèrent. Il les couvrit de brindilles, lentement, il souffla dans l'âtre. Un crépitement se fit alors entendre. Il allongea la main vers la boîte à bois, en sortit du sapinage pour nourrir la flambée, puis, rajouta quelques longues bûches.

Frank Wenzel fut prêt en moins de deux. Déjà, il avait réuni ses neuf compagnons et quittait la baraque en direction des cuisines, escorté d'Alexandre Maranda, un soldat à l'air bonhomme qui avait passé la nuit sur le guet. Pendant ce temps, Drobei faisait le tour des lieux, s'assurant que chacune des couvertures était bien pliée, les havresacs rangés sous les lits du bas.

Wenzel et les siens revinrent bientôt, les bras chargés de boîtes, de plateaux et de bidons. Après avoir déposé leur charge le long d'une table, les porteurs devinrent serveurs. Les gens se mirent en ligne. Tasses et assiettes de grès furent distribuées ainsi que des ustensiles. Chacun reçut sa portion d'œufs brouillés et de bacon, ses deux tranches de pain rôti et du café noir. De par les deux tablées, on entendit bientôt le grattement des fourchettes contre les écuelles tandis que le bouillon chaud était aspiré bruyamment. Le repas fut rapidement englouti, la vaisselle retournée. L'endroit fut aéré et le parquet balayé.

Peu de temps après, le sergent-major Buckley se présenta à la baraque, accompagné de gardes ainsi que de Joseph Nordman, afin d'inspecter les lieux et dénombrer ses souffre-douleur. Ces derniers s'étaient placés devant leur couche tandis que l'homme au regard noir faisait le tour. Lorsqu'il arriva devant Zrobok, une lueur de malice apparut dans ses yeux. D'un geste brusque, il bouscula le prisonnier et allongea le bras. Une couverture se retrouva par terre, foulée par les bottes du sous-officier qui, collant son regard à celui de sa victime, hurlait :

— Je veux que ce maudit imbécile de *coin-coin* ramasse son torchon et le replie comme il se doit. Et que ça saute !

Zrobok s'exécuta, les mains tremblantes, tandis qu'à l'autre bout de l'allée, Rotari agrippait la manche de son voisin qu'il sentait bouillant. Il lui chuchota :

— Ne fais surtout pas le fou. Souviens-toi de ce que je t'ai dit hier.

Galan fit la moue mais finit par acquiescer d'un signe de tête tout en maugréant :

— Ce maudit *meat head* a fait exprès. Il ne perd rien pour attendre.

— Chut ! fit doucement son protecteur.

Continuant sa tournée, le tortionnaire répéta son manège. Ses autres cibles, Henry Romaniuk et Absenky Pawliuk, plièrent l'échine à leur tour. Le contrôle enfin terminé, les prisonniers furent évacués et escortés jusqu'à l'entrepôt tandis que Buckley martelait sans cesse :

— Gauche, gauche ; gauche, droite, gauche…

Le soleil s'était levé, mais ses rayons caressaient à peine les visages alors que la froidure faisait crisser la neige piétinée. Arrivés à destination, les proscrits reçurent godendarts, haches, lames arquées à deux manches, marteaux et autres outils. Tandis que la plupart des bûcherons se rendaient illico sur une colline, Drobei, Galan et d'autres bifurquèrent vers l'écurie, pour en repartir plus tard avec des chevaux harnachés et prendre le chemin du chantier d'abattage. Pour leur part, Mike Zrobok et Henry Romaniuk se dirigèrent à l'extrémité du camp où de nombreuses billes étaient empilées non loin d'un petit moulin à scie. Paul St-Denis arriva bientôt et réunit les ouvriers, Rotari en tête. Leur première tâche : l'érection de trois autres baraques pour prisonniers.

Au mess des officiers, des hommes occupaient une grande table rectangulaire éclairée d'un majestueux plafonnier. Les bougies faisaient briller les pièces métalliques qui enjolivaient les épaulettes des uniformes. Il y avait là le bras droit du commandant, le capitaine Labelle; le médecin du camp, le major William; le responsable du service de l'intendance, le lieutenant Meldrum et le lieutenant Gilmour. Les militaires racontaient des balivernes sur un ton monocorde quand le colonel Rodden fit son entrée avec son inséparable bâton. Ils se levèrent alors d'un même élan tandis que leur chef prenait place à l'avant.

— Repos!

De concert, les officiers se rassirent. Des garçons sortirent de la cuisine adjacente portant haut d'immenses plateaux. Des couverts argentés furent distribués. Des œufs au miroir avaient été soigneusement déposés sur un lit de laitue. Des tranches de bacon et de tomates garnissaient aussi les assiettes. Ce premier service complété, une autre ordonnance se présenta pour verser le café bouillant. On attendit que Rodden se servît avant d'entamer le petit-déjeuner. Puis, paternaliste, le colonel s'empressa de s'enquérir auprès du dernier venu:

— Alors, lieutenant Gilmour. Vous avez passé une bonne nuit?

Le jeune officier avala sec, déposa son ustensile et se raidit le corps avant de répondre:

— Fort bonne, mon commandant.

— Ne soyez pas si nerveux, jeune homme. Détendez-vous.

— Euh… oui, mon colonel.

Le vieil homme se tourna alors vers son intendant.

— Nous attendons un autre contingent de cent étrangers ennemis avec leur escorte dans une quinzaine. Il est impératif de s'assurer que nos fournisseurs à Amos nous livrent à temps la marchandise nécessaire à l'accueil de ces prisonniers.

Le lieutenant Meldrum était un riz-pain-sel au visage en lame de couteau et à la moustache en balai brosse. Connaissant parfaitement le marché, il répondit sans hésitation.

– Je vais communiquer avec le magasin général A.A. Drouin, mon commandant. Il fait les meilleurs prix.

– Parfait! Ah! j'oubliais! Vous contacterez aussi le boucher Donat Brunet. J'ai ouï-dire qu'il avait de la viande de qualité supérieure. Passez-lui donc une commande!

L'officier sursauta.

– Mais... ses prix sont très élevés et...

Narquois, son supérieur lui avait coupé la parole en tranchant :

– Pour notre mess, lieutenant. Pour notre mess uniquement.

Perplexe, Gilmour zieuta autour de lui. Les autres, le nez dans leur assiette, ne réagissaient point tandis que Meldrum, souriant de toutes ses dents, répondait simplement :

– Oui, mon colonel.

Visiblement satisfait, le manitou porta la tasse à ses lèvres et en sirota le contenu.

Au chantier d'abattage, le vent du nord était pernicieux. Les gardes Paul Lazare et John Twardy, emmitouflés dans leur long manteau militaire, piétinaient près d'un feu tandis que les prisonniers piochaient, casquettes renfoncées, cache-oreilles descendus et cols des canadiennes remontés. Les soldats étaient de grande taille et avaient le visage rond et énergique, avec de gros sourcils ombrageant des yeux très clairs. On aurait dit des frères, tant ils se ressemblaient.

À l'abattage, parmi d'autres, Frank Wenzel faisait équipe avec Iwan Gregoraszczuk. Tous deux dans la vingtaine, ils venaient de la Galicie et représentaient le type parfait du genre ukrainien : grand et fort. Aussi, c'est avec énergie qu'ils attaquaient un immense tronc avec leur godendart.

– Ahan! Ahan! faisaient-ils en chœur, la buée sortant de leurs gorges.

Au même moment, à leur droite, sur une butte, Jan Drobei dirigeait un cheval de trait tirant un immense corps d'arbre :

– Hue! Allez! Hue!

Plus loin, Absenky Pawliuk, en ébranchant un arbre, échappa soudainement sa hache. Un juron sortit de sa bouche tandis qu'il enlevait ses gants pour balayer l'air de ses mains. Il souffla dessus tout en courant vers la flambée. Là, il allongea les bras au-dessus du brasier tout en frictionnant ses doigts. Dans les minutes qui suivirent, le visage du prisonnier se crispa. Des larmes coulaient sur ses joues blanchies. Il sautait sur place et se massait tout en maugréant. Près de lui, le soldat Twardy ne comprenait rien de ce que l'autre disait. Mais il voyait bien que le gars était transi de froid. Lazare s'approcha alors de son confrère et proposa d'aller conduire le bûcheron au dispensaire.

– Bonne idée!

Au même moment, une voix derrière aboya :

– Pourquoi cet homme n'est-il pas au travail?

Les gardiens pivotèrent d'un seul bloc et virent arriver vers eux le caporal Bernard Berger. Le sous-officier, plutôt trapu, avait une tête puissante et vulgaire d'un mauvais garçon. Il était reconnu pour son caractère acariâtre. On disait de lui qu'il compensait sa petitesse par l'arrogance. Aussi, respecta-t-il une certaine distance lorsqu'il s'arrêta, afin de ne pas avoir à relever la tête pour s'adresser à ses subalternes.

– Alors! Allez-vous me répondre? fit-il, les poings sur les hanches.

Twardy lui expliqua que le prisonnier souffrait d'engelures et qu'il fallait le ramener au camp.

Tout en ronchonnant, le caporal toisa celui qui continuait à gigoter : « Damné vaurien! Pas de sang dans les veines! » Et, s'adressant aux deux soldats :

– Alors, qu'attendez-vous? Faut-il toujours vous conduire par la main?

– J'étais sur le point d'y aller lorsque vous êtes arrivé, mon caporal, dit Lazare.

– Alors, faites du vent.

– Oui, mon caporal.

Le garde tapota alors l'épaule de Pawliuk et par signes, lui fit comprendre de le suivre. Tandis qu'ils s'éloignaient, l'un d'un grand pas, l'autre en sautillant, un cri brusque retentit dans le bois :

– *Timber!*

Wenzel et Gregoraszczuk s'écartèrent rapidement pour contempler le faîte d'un immense sapin qui frémissait. D'abord chancelant, l'arbre commença à s'affaisser, tentant désespérément de s'agripper à ses voisins qui, de leurs membres, se protégeaient de la chute de celui qu'on avait coupé de ses racines. Dans un fracas, le grand conifère céda et s'effondra.

Quand le major William examina Absenky Pawliuk, il remarqua une lésion sur le dos du gros orteil du pied droit.

– Hum ! Une gelure au deuxième degré, dit-il à son adjoint. Le plus souvent, ça aboutit à l'escarre.

Dans les jours qui suivirent, l'orteil de Pawliuk prit un aspect violacé, puis de bois d'ébène. Le major dut amputer. Le calvaire de l'Ukrainien ne faisait que commencer.

Chapitre III

Un dimanche

Le dimanche, 18 avril 1915

U N PEU PLUS de trois mois s'étaient écoulés depuis l'arrivée des premiers prisonniers de guerre au camp de concentration de Spirit Lake. Depuis, leur nombre était passé à plus de six cents.

Une clôture de fer barbelé d'une hauteur de seize pieds encerclait maintenant les bâtiments revêtus de papier goudronné. Aux quatre coins, d'immenses lampes étaient braquées vers l'intérieur. On pouvait dénombrer huit baraques pour les prisonniers, deux pour les soldats et deux pour les cuisines. Une autre cabane abritait une boulangerie. À l'extérieur du camp, au sud-ouest, des petites maisons avaient été construites sur les rives du lac pour les officiers mariés. Un mille plus à l'est, au pied d'un coteau, se trouvait un hameau dont les habitations étaient destinées aux familles de prisonniers qui allaient bientôt arriver. En retrait, une petite chapelle semblait attendre ses futures ouailles.

Ce dimanche, les Ukrainiens étaient dans un état fébrile. Et pour cause : le lendemain, une vingtaine des leurs, en provenance

de Montréal, arriveraient par le Transcontinental avec femmes et
enfants. Les nouveaux venus seraient installés dans le petit village
nouvellement construit pour eux. Tous attendaient quelqu'un :
un frère, un cousin, un neveu, un ami, une connaissance.

C'était jour de congé. Le temps était clément et le soleil
radieux. Tout le long de la journée, on se relaya à la petite cabane
servant de buanderie pour laver son linge de corps dans de
grandes cuves sur pied munies d'une manivelle. En attendant leur
tour, la plupart des prisonniers purent s'ébattre; certains en prenant une marche, d'autres en jouant au football sur la neige dur-
cie de la grande cour.

Plus tard, une cinquantaine d'entre eux, de religion catholique romaine, se rendirent à la petite chapelle, escortés de soldats de même croyance. Dans les rangs, se trouvaient Romaniuk,
Rotari, Veink et Wenzel. L'interprète Joseph Nordman et le
contremaître Paul St-Denis suivaient. Sur place, les prati-
quants se décoiffèrent, trempèrent l'index dans le bénitier et se
signèrent.

Les gardes prirent place à l'arrière. Devant eux : les détenus et
les civils. Le colonel Rodden se présenta dans la nef, accompagné
de son état-major. Le commandant ouvrait la marche, suivi de sa
suite en colonne par deux. Parés de leurs beaux uniformes, ils
paradèrent ainsi jusqu'à l'avant, les premiers bancs leur ayant été
réservés.

Les croyants furent ensuite accueillis par un prêtre vêtu de sa
chasuble : l'abbé J.O. Viateur Dudemaine de la paroisse Sainte-
Thérèse d'Amos. L'ecclésiastique, près de la quarantaine, avait un
visage serein, un regard bon.

Les soldats Lazare et Twardy s'avancèrent alors pour assister
l'homme de Dieu. Commença la messe en latin, seule langue
commune aux différentes personnes rassemblées là. L'officiant
entama :

    — *In nomine Patris, et Filii, et Spiritus Sancti. Amen. Introido
ad altáre Dei.*

L'assemblée répondit en chœur :
— *Ad Deum qui leatificat juventútem meam.*
Ce fut ensuite le Cantique des anges :
— *Glória in excélsis Deo. Et in terra pax hominibus bonae voluntátis…*
Au moment de la lecture de l'épître selon saint Jean, Joseph Nordman se détacha des autres fidèles et se plaça à l'avant pour reprendre les paroles du prêtre.
— Mes bien-aimés. Quiconque est né de Dieu, triomphe du monde ; et la victoire qui triomphe du monde, c'est notre foi…
L'interprète demeura sur place pour traduire l'évangile, après quoi il regagna son banc tandis que la cérémonie continuait avec l'offertoire, la consécration, et la communion :
— *Agnus Dei, qui tollis peccáta mundi, miserére nobis…*
Le célébrant porta d'abord l'hostie puis le calice à ses lèvres. Les occupants du banc d'honneur se levèrent pour recevoir les premiers le corps du Christ, suivis des soldats et des autres participants.
De retour devant l'autel, l'abbé Dudemaine dit une prière avant de se retourner vers ses brebis, tout en ouvrant les bras.
— *Ite, Missa est.*
— *Deo grátias.*
Et il bénit ses fidèles :
— *Benedicat vos omnipotens Deus, Pater, et Filius, et Spiritus Sanctus.*
— *Amen*, firent-ils en se signant.
Les Ukrainiens attendirent que les hauts gradés passent avant de sortir en silence.
À l'extérieur, les officiers s'étaient retirés à l'écart et discutaient de tout et de rien tandis que la colonne de prisonniers se formait entre deux groupes de soldats. Quelqu'un cria un « En avant marche ! » et la section se mit en branle.
Dans les rangs, Henry Romaniuk respirait la gaieté. Tout en marchant, il se balançait de gauche à droite en sifflant l'air de *La Berceuse* de Brahms. Le tempo était accéléré et, autour de lui, ses

camarades souriaient de le voir aller. À ses côtés, Maftey Rotari lui donna une tape amicale sur l'épaule.

– Eh! Romaniuk! Peux-tu me dire ce qui te rend si heureux?

– Ah! fit l'autre. Demain, mon frère Feodor sera là avec son épouse.

– Hum! Dis-moi pas que tu voudrais bercer ta belle-sœur?

Romaniuk fit un large sourire.

– Matronna est enceinte et c'est moi le parrain. Je vais pouvoir m'occuper de l'enfant, le prendre dans mes bras les dimanches. C'est pas beau ça?

Le menuisier lui rendit le sourire.

– Oui! Tu as raison. Je t'envie, tu sais.

Rotari se tourna vers les autres en lançant :

– Eh! les gars! Romaniuk va bientôt être parrain.

Des cris d'enthousiasme retentirent tandis que l'heureux homme chantait, forçant toujours le rythme :

– Bonne nuit, cher enfant…

De retour au camp, le lieutenant Meldrum recevait le prêtre Viateur Dudemaine à son bureau et lui versait l'émolument prévu pour la célébration de l'office divin.

– Voici vos dix piastres, monsieur l'abbé.

Assis devant, le pasteur allongea le bras et prit l'argent :

– Merci, mon fils! L'Église en a grand besoin.

Tout en consignant le montant dans un registre, l'argentier enchaîna :

– Nous reverrons-nous dimanche prochain?

– Malheureusement non. Le temps me manque. Je suis seul pour desservir toutes les paroisses de l'Abitibi. Le mieux que je puisse faire, c'est de venir aux quinze jours pour m'occuper de vos âmes et aussi celles de ces pauvres étrangers. Dommage que je ne comprenne pas leur langue. J'aimerais tellement faire plus pour eux. Dire que leur origine et leur pauvreté sont les seules choses qui leur soient reprochées. Quelle calamité!

Meldrum avait sursauté.

– Mais ce sont des ennemis!

Dudemaine posa un regard attristé sur son interlocuteur.

– Vous croyez?

Pour les Ukrainiens, le reste de la journée se passa dans un calme relatif. Des cordes à linge avaient été installées le long des poutres au plafond des baraques. Au fur et à mesure que le temps s'écoulait, des sous-vêtements, des chemises, des pantalons et des bas y pendaient en nombre toujours grandissant. Certains prisonniers écrivaient à leurs proches. D'autres se réunissaient autour d'une table pour se raconter des histoires. Pour sa part, Iwan Gregoraszczuk en profita pour changer sa couche. Une couverture de laine au pourtour soigneusement cousu sur trois côtés lui servait de matelas. Comme bourre, du sapinage devenu sec qu'il retira pour alimenter le poêle. Ensuite, il vida son havresac et se rendit à l'orée du bois, y cueillit de fines branches de sapin dont il remplit son sac de toile. De retour à sa baraque, il refit son matelas avec les brindilles fraîches et odoriférantes. Ensuite, il se rendit à la cantine pour y chercher un paquet de Sweet Caporal. Une fois dehors, il s'alluma une cigarette dont il aspira une longue bouffée. Satisfait, il fit le tour de la cour, tout en examinant les alentours. Des gardes armés étaient dispersés aux quatre coins de l'enceinte, surveillant mollement les mouvements des Ukrainiens. Certains marchaient de long en large, discutant entre eux. D'autres transportaient des bûches de deux pieds à l'intérieur des cabanes.

Gregoraszczuk se rendit ensuite aux latrines pour y soulager sa vessie trop pleine. En ouvrant la porte, il faillit entrer en collision avec Mike Zrobok qui en sortait d'un pas pressé.

– Eh! Attention!

– Ah! salut! Pouah! Ça pue là-dedans. Excuse-moi si je ne reste pas.

Tandis que Zrobok s'éloignait, le Galicien entra. Les chiottes comprenaient vingt places séparées par des cloisons. À chaque emplacement, une surélévation faite de planches de sapin avec au milieu, un trou d'où se dégageait une odeur nauséabonde. Une liasse de petits carrés de papiers traînait à chaque endroit. L'homme trouva une place libre, urina et quitta pour ensuite regagner sa baraque : l'heure de l'appel allait bientôt sonner.

Dans leur cuisine, Julian Zator et son groupe venaient de mettre la touche finale au repas du soir. Ils avaient pris de l'avance et en profitèrent pour y aller d'une autre préparation : une recette qui n'était pas au menu. Ils pouvaient agir ouvertement car, pour leur soldat-gardien, le tout ressemblait à l'apprêt d'un potage quelconque. Quant au chef Fortier, il était occupé au mess des officiers.

Fred Heyciak et Rodolphe Veink se mirent alors à brosser des pommes de terre ratatinées et à les râper au-dessus d'une soupière contenant de l'eau. Ensuite, ils placèrent le tout sur le poêle. Tout à côté, dans un pot de grès, ils ébouillantèrent un tissu léger. Dès que la préparation se mit à bouillir, Veink y ajouta une forte quantité de sucre et brassa jusqu'à sa dissolution complète. Une bonne poignée de raisins secs ainsi que le jus de quatre oranges pressées agrémentèrent le mélange qu'on laissa refroidir pour ensuite le transvider dans le pot de grès recouvert du linge stérilisé.

Les cuisiniers s'attablèrent ensuite pour manger. Ils avaient à peine terminé que les préposés à la distribution des repas faisaient irruption. Les premiers arrivés étaient des soldats, suivis de différents groupes de prisonniers. Quand Frank Wenzel et son équipe s'y présentèrent, Zator lui fit un clin d'œil. L'autre sourit. Ils s'étaient compris.

Il restait une corvée, celle de la vaisselle. Les montagnes d'assiettes, de tasses et d'ustensiles sales passaient des comptoirs aux éviers remplis d'eau bouillante. À l'occasion, un des plongeurs se penchait sous le comptoir pour y empoigner une bouteille de verre clair et la glisser dans le bassin savonneux. Une fois rincé, le litre retournait d'où il venait.

Alors que s'achevait la corvée, Veink retourna à la préparation commencée avant le souper. Il saupoudra de la levure sur le liquide et remua. Par la suite, il couvrit le pot d'un lest et le remisa au fond d'une armoire où il y resterait pour une bonne quinzaine de jours, dissimulé derrière les chaudrons.

Pendant ce temps, Zator se dirigeait vers une autre armoire. Il en ouvrit la porte, y porta le bras et en extirpa un long tuyau souple. Sur une première étagère se trouvait un autre pot de grès. Il enleva le couvercle, y inséra le siphon, en aspira le contenu et le transvida dans les bouteilles de l'étagère du bas. L'opération terminée, il boucha les contenants de verre avec du liège. Une cuvée de vin de patates qui fermentait depuis maintenant deux semaines était prête pour la distribution. Zator alla vaquer ailleurs. Il retourna à cette armoire juste avant de regagner sa baraque. Tandis que ses complices faisaient écran devant le garde, revêtu de sa canadienne, il s'accroupit et prit deux litres qu'il glissa le long de sa ceinture et camoufla les autres au fond de l'armoire.

Le trafiquant avait bien planifié son affaire. Il s'était assuré la collaboration d'un prisonnier-boulanger pour son approvisionnement en levure. Un autre lui dégotait les raisins secs et les oranges au mess des officiers. Les rebuts du mess étaient aussi fouillés pour y récupérer les bouteilles et les bouchons de liège. La distribution était assurée par Wenzel. De sa première production, Zator avait tiré quatre litres qui rapporteraient vingt cents l'unité. Mais ce pécule ne lui était pas destiné.

Pendant ce temps, dans la baraque numéro 1, Frank Wenzel se rendait voir Henry Romaniuk.

— Alors, tu as l'argent?

— Oui. Ça sera pas long.

L'homme tira le havresac du dessous de son lit et en sortit une boîte qu'il ouvrit. À l'intérieur, il y avait des petites galettes au chocolat.

— C'est ma mère qui me les a fait parvenir. Tu en veux une?

Les gâteries étaient denrée rare, aussi Wenzel ne se fit-il pas prier. Tandis qu'il dégustait la pâtisserie sous l'œil amusé de son ami, son visage changea subitement. L'air incrédule, il retira de sa bouche une pièce de dix sous. Les deux échangèrent un regard, puis pouffèrent de rire pendant que Romaniuk croquait une deuxième friandise avec précaution.

— Tiens! Voici l'autre pièce, fit-il. Ses épaules sautillaient.

— Ha! Ha! Elle est bien bonne!

Julian Zator et sa clique venaient tout juste, sous escorte, de gagner leur cabane. Le *bootlegger* attendit que le garde s'évanouisse dans la nature et se rendit à la baraque voisine.

— Eh Wenzel! Le cuistot est arrivé, fit une voix.

— Salut, les gars!

L'homme était populaire, aussi fut-il ovationné par tout un chacun tandis que Wenzel se rendait à sa rencontre.

— Alors Zator! Ça a marché?

— Comme sur des roulettes. Le garde n'y a vu que du feu.

Les deux complices s'assirent à une table. Pendant que le premier, sous le regard amusé des voisins, sortait les bouteilles de l'intérieur de son manteau, l'autre déposait quatre pièces de dix cents sur le meuble.

— N'oublie pas de me ramener les *corps morts*.

— Ne t'en fais pas. Ça sera fait.

— Bon! dis aux gars de ne pas en abuser! J'y ai goûté et je te jure que c'est pas de la vinasse.

— Mmm! Tu me donnes envie d'ouvrir la mienne tout de suite.

— Hi! Hi! Demain je t'en livrerai deux autres. Il faut que j'y aille maintenant. Cette maudite sirène est à veille de nous casser les oreilles.

Le cuisinier se leva, tout en empochant l'argent. Les deux hommes se séparèrent après une brève accolade. Zator eut tout juste le temps de regagner ses quartiers avant qu'un beuglement ne retentisse de par tout le camp.

Chapitre IV

Brutalité, accident et maladie

L A NEIGE tombait en abondance. Les gros flocons virevoltaient au gré des bourrasques avant de se masser au sol, formant ici et là des bancs que les hommes devaient enjamber pour se rendre à l'aire d'abattage. La masse blanche fouettait les visages, se collait aux moustaches, aux barbes et aux sourcils avant de se durcir. Prisonniers et soldats devaient se frotter fréquemment les paupières de la paume de leur main. La matière liquéfiée se mêlait alors à la sueur des fronts et allait brûler les yeux que l'on clignait pour pouvoir continuer la marche. À l'arrière de la colonne, Iwan Gregoraszczuk et Absenky Pawliuk marchaient côte à côte. Ce dernier avait le teint pâle, respirait fort et semblait avoir de la difficulté à suivre.

– Ça ne va pas ? lui demanda le Galicien.

– Je ne sais pas ce que j'ai. Je suis fatigué. Pourtant j'étais en forme en me levant ce matin. Je crois bien que je vais me reposer sur l'heure du dîner.

– Oui. Tu en as vraiment le besoin, fit l'autre. Et ton pied, comment va-t-il ?

– Ça va. Tu sais, il me semble que mon gros orteil est toujours là.

– Voyons !

– J'te dis !

– Maudit pays de fous !

L'avant-midi tirait déjà à sa fin. Dans ses locaux, le colonel Rodden fulminait. Le train avait du retard et ce contretemps l'irritait au plus haut point. Il arpentait nerveusement son bureau de long en large, mettant à l'occasion son nez à la fenêtre et tendant l'oreille. En vain, car il n'y voyait ni ciel ni terre et ne percevait que le sifflement de la tourmente. L'homme faisait encore les cent pas quand un sergent fit irruption, son uniforme alourdi de neige.

– Ça y est, mon commandant. Le train est arrivé.

Le vieil officier s'arrêta net.

– Enfin ! C'est pas trop tôt. Allons-y !

Il s'habilla de son long manteau, coiffa son chapeau de poil, empoigna sa canne et sortit dans la tempête, suivi du sous-officier. Ils marchèrent face au vent, le dos courbé, jusqu'au poste de garde où ils s'abritèrent. Devant eux, des soldats, des hommes vêtus de peaux de mouton, des femmes portant des fichus et des enfants emmitouflés sortaient des wagons en toute hâte. Sur le quai, le sergent-major Buckley dirigeait l'opération en criant et en gesticulant. Au même moment, un soldat transportant deux gros sacs de toile s'approchait de lui pour lui demander où il devait mettre le courrier.

– Allez me porter ça dans le bureau d'administration. On s'en occupera plus tard.

– À vos ordres, monsieur !

Prestement, les familles de prisonniers furent regroupées et conduites vers une baraque nouvellement construite. Pendant ce temps, un militaire à la stature carrée sortait de la dernière voiture, prêtant la main à la femme qui le suivait. Elle était grande et gracieuse, avec un visage délicat teinté de rose.

— Allez! fit simplement Rodden à l'endroit du sergent qui se porta dehors à la rencontre du couple.

Devant eux, il donna un coup de chapeau à la façon des militaires avant de lancer d'une voix forte :

— Mon lieutenant, Mme Cousins! Le colonel vous attend au poste de garde. Venez!

— Qu'a-t-il dit? demanda la jeune femme, tout en se protégeant le visage de son col remonté.

— Suivons-le, ma chère.

Rapidement, le trio gagna le poste de garde. En entrant, l'officier salua le colonel tandis que son épouse s'exclamait :

— Père!

Le vieil homme tendit les bras.

— Bridget!

Ils s'enlacèrent un bref instant. Puis, Rodden regarda tendrement sa fille et l'embrassa sur le front.

— Ma chère enfant! Que je suis heureux! Mais vous devez être terriblement fatiguée après ce pénible voyage. Allons de ce pas au mess. Un repas chaud nous y attend. Ensuite, on vous conduira à votre maisonnette où vous pourrez vous reposer.

Des rafales de vent glacé soufflaient toujours la neige sur la colline, faisant frissonner autant les arbres que les hommes. Le caporal Berger venait de consulter sa montre de poche et entreprit de faire le tour du bûché, criant à ses soldats :

— Rassemblez-moi ça et à la soupe!

Contournant un arbre abattu, il remarqua alors une forme suspecte, recroquevillée le long du tronc.

— Qu'est-ce que…?

Il s'approcha à pas de loup et surprit un homme qui s'y était abrité.

– Espèce de tire-au-flanc! lâcha-t-il, tout en assénant un coup de crosse de carabine dans les reins de l'individu. Allez! Debout!

Gawryl Semeniuk ne comprenait pas ce que lui disait le petit gros, mais il se redressa d'instinct tout en levant un coude comme pour se protéger. Le militaire lui désigna alors du doigt la direction à prendre. Le prisonnier obéit, poussé par des coups répétés dans le dos. Ils se rendirent ainsi jusqu'à l'endroit où les bûcherons se regroupaient avant le départ pour le camp. Là, Berger confia son prisonnier au soldat Twardy.

– Conduisez-moi ce fainéant de *coin-coin* directement au trou.

Puis, posant son regard haineux sur Semeniuk, il rajouta d'un ton à la fois violent et ironique :

– Je vais m'occuper personnellement de son repas.

Pendant ce temps, camouflé par les énormes branches du sapin, un autre homme refaisait lentement surface : Absenky Pawliuk. Il examina nerveusement les alentours, se releva complètement et alla rejoindre les autres.

Ils étaient une bonne soixantaine d'hommes, de femmes et d'enfants d'origine ukrainienne réunis dans la baraque du camp où ils allaient séjourner en attendant que le mauvais temps se dissipe. Ensuite, ces nouveaux prisonniers gagneraient le village qui avait été construit pour eux. Tandis que certains des siens quittaient pour aller quérir le repas, Feodor Romaniuk aidait sa femme, Matronna, à s'étendre sur un lit. La fatigue se lisait sur son visage. Elle avait un ventre proéminent et se déplaçait avec peine. Près de là, Andruk Manko et son épouse Katharina, assis à une des tables, étaient entourés de leurs enfants John, Mary, Anne et Carolka.

– Maman! Faim! disait cette dernière.

À leurs côtés, se trouvait le couple Mielniczuk avec leur petite fille Stefania. Debout, près de ses parents, elle promenait son regard tout autour en suçant son pouce. Il y avait aussi Peter et

Antonia Bator avec leur fils Iwan. Ce dernier venait de se blottir tout contre sa mère, se plaignant d'un soudain mal de ventre.

— Pauvre chéri! lança la femme.

Elle dévisagea tendrement son bambin. Il avait des yeux tristes et les traits fatigués. Elle lui caressa alors la nuque tout en le consolant.

— Le repas va bientôt arriver mon trésor. Ça va te faire du bien de manger.

Fouillant dans un petit sac, elle en sortit une pomme qu'elle présenta à son enfant.

— Tiens! prends ça en attendant!

Le garçonnet prit le fruit, le regarda, puis fit la moue.

— Pas faim!

La pomme roula par terre jusqu'aux pieds de Carolka Manko. Elle s'en empara aussitôt et croqua dedans à pleines dents sous le regard amusé des parents.

Plus loin, un groupe entourait un homme revêtu d'une robe. Le Révérend Ambroziy Redkevych avait apporté avec lui une icône de la Madone qui trônerait bientôt dans la petite chapelle qu'il était venu bénir. Les gens contemplaient l'image de la Vierge, la vénéraient.

Ailleurs, des couples, visiblement sans enfants, se cajolaient discrètement tandis que des garçons turbulents couraient autour de la pièce, sous l'œil amusé des quelques soldats qui semblaient apprécier la présence de cette marmaille.

Quand arriva le dîner, tout ce monde se mit rapidement en file indienne. Les enfants s'étaient calmés et, silencieusement, on alla chercher sa ration de bouilli. Feodor Romaniuk avait aidé son épouse Matronna à se relever et l'avait conduite à une table.

— Attends-moi ici, chérie. Je vais chercher notre repas.

Sa femme le regarda tendrement, puis tapota le banc libre près d'elle.

— Très bien, Feodor! Je vais te garder la place ici.

Au poste de garde, Gawryl Semeniuk avait été enfermé sous clef dans une pièce d'environ trois pieds sur sept. Il n'y avait pas de fenêtre et le prisonnier était dans l'obscurité quasi totale. Seul un rai de lumière passait sous la porte. L'air froid s'infiltrait au travers du mur mal isolé. Tout à coup, la porte de la cellule s'ouvrit. Ébloui par la clarté soudaine, le prisonnier cilla. Frissonnant, le dos contre le mur, il vit le caporal Berger poser un bol d'eau et du pain sur le plancher.

– Tiens! Mange comme un chien. T'es bien mieux de t'habituer. Tu en as pour six jours à moisir ici.

Dans la baraque numéro 1, il y avait deux sujets de conversation : l'arrestation d'un des leurs et l'arrivée récente des familles. Tout en discutant, les Ukrainiens s'empiffraient, sauf Pawliuk qui mangeait du bout des dents. Son visage était pâle et Maftey Rotari, près de lui, s'en inquiéta :

– Qu'est ce qui t'arrive, Pawliuk?

– Je ne sais pas. Je n'ai pas faim. Tu sais. Tout à l'heure, j'ai vraiment eu peur. Un peu plus et le caporal me découvrait moi aussi. Pauvre Semeniuk!

– Tu devrais quand même manger. Sans cela, tu ne tiendras pas le coup.

– Je sais, fit l'autre d'un ton morne, mais cela me donne envie de…

– Eh! Rotari! As-tu vu les nouveaux?

Henry Romaniuk venait d'arriver derrière, coupant la parole à Pawliuk. Le menuisier prit une bouchée et répondit :

– Oui. Ils les ont conduits dans une baraque de l'autre côté. Dans la 7.

– Merci! J'y vais.

Tandis que Romaniuk quittait la baraque, Rotari se retourna vers son voisin qui venait de tousser creux.

– C'est un rhume que tu as attrapé. Tu devrais aller au dispensaire. Parles-en à Drobei. Il va te mettre sur la liste pour la parade des malades demain matin.

– Oui. Je crois que tu as raison.

– Feodor ! Feodor ! Où es-tu ?

Henry Romaniuk venait de faire irruption dans la baraque numéro 7, cherchant son cadet.

– Feodor ! C'est moi, Henry !

Un homme se leva dans le fond, saluant haut du bras.

– Ici, Henry. Nous sommes ici.

Les Romaniuk s'étreignirent et Feodor entraîna son frère à la table où se trouvait Matronna. Il embrassa sa belle-sœur puis regarda son ventre :

– Que j'ai hâte !

La femme sourit et lui prit la main pour la poser sur sa bedaine rebondie. Il sentit de petits coups et s'en émut. On échangea ensuite les nouvelles de la famille.

– Tu as su pour notre frère ? demanda Feodor, d'un ton grave.

– Roman ? Non.

– Il s'est enrôlé dans l'armée canadienne en se faisant passer pour un émigré russe.

– Mais il est fou ou quoi ? fit Henry, estomaqué. Aller se battre pour un pays qui nous traite comme des moins que rien. C'est à n'y rien comprendre.

Mais Feodor avait une tout autre opinion.

– Notre peuple est depuis trop longtemps sous le joug de nos voisins. Moi je suis d'accord qu'il aille combattre François-Joseph 1er. Si, à la fin de la guerre, l'Ukraine devient libre, ce sera grâce à des gars comme notre frère.

Henry répliqua, sec :

– Y penses-tu ? Chez nous, c'est la conscription. Roman aura à se battre contre…

– Avez-vous fini ? Vous venez tout juste de vous retrouver que déjà vous vous querellez.

Matronna les dévisageait tour à tour. Les frères rougirent puis abdiquèrent devant le regard autoritaire de celle qui venait de parler. Ils se confondirent en excuses. Peu après, Henry dut les quitter, non sans avoir promis d'aller les visiter à leur petit village le dimanche prochain.

— Je vais apporter une petite surprise, lança-t-il avant de les laisser.

Tandis que les prisonniers s'acheminaient vers leur travail, Jim Buckley et Joseph Nordman s'adonnaient à une activité particulière. Des lettres et des paquets étaient étalés sur un grand bureau. Pendant que l'interprète lisait la correspondance des internés, l'autre fouillait les boîtes, à la recherche d'argent camouflé ou de tout autre objet frappé d'interdit. Il ouvrit un colis adressé à Iwan Gregoraszczuk. Le paquet contenait des petites galettes au chocolat, ainsi qu'une courte note. Il fouilla à l'intérieur et vérifia l'emballage. Ne trouvant rien, il tendit le bout de papier à Nordman qui lut :

> Cher fils,
>
> Comme tu me l'as demandé, j'ai été voir Mᵐᵉ Romaniuk pour lui demander sa recette que j'ai cuisinée sans tarder. J'ai pris soin de bien doser les ingrédients et, je crois bien avoir réussi ces pièces que je t'envoie avec amour. Espérant qu'elles t'arriveront intactes.
>
> De ta mère qui t'embrasse fort.

Sans se douter un seul instant de la signification cachée de cette lettre, Buckley repoussa le colis.

— Bah ! Rien d'important. Continuons !

Le temps s'était calmé et le soleil avait percé les nuages pour montrer le bout du nez. La piste menant au chantier grouillait d'hommes avec, à leur tête, les chevaux harnachés qui ouvraient le chemin. Dans le rang, Absenky Pawliuk clopinait en soufflant tandis que des gouttelettes de sueur perlaient sur son front.

Derrière lui, Iwan Gregoraszczuk et Stefan Galan taillaient des bavettes.

— Sais-tu ce que ces cochons ont fait de Semeniuk ?

Gregoraszczuk fit une grimace avant de répondre :

— Il a été enfermé comme un animal dans une cage au poste de garde.

— C'est des barbares ! Ils n'ont pas le droit de faire ça. On ne serait même pas obligés de travailler comme des forcenés. Moi, je dis qu'on devrait faire la grève.

Le Galicien hocha la tête.

— Ça va être pire. Non ! On est traités comme des prisonniers de guerre. Alors notre devoir à nous, c'est de nous évader.

— Tu n'y penses pas sérieusement. On est en plein milieu du bois, à des milles et des milles de Montréal.

— Pas Montréal ! C'est aux États-Unis qu'il faut aller. Mais pas tout de suite. Il faut attendre l'été.

— Toi, tu as un plan, fit Galan intéressé.

— Peut-être… peut-être… répondit Gregoraszczuk d'un ton rêveur.

Il buta alors contre Absenky Pawliuk qui venait de trébucher.

— Eh ! attention, mon vieux !

Gregoraszczuk l'aida à se relever tandis que le soldat Lazare s'approchait. Ce dernier remarqua la mauvaise mine de Pawliuk. Il y avait de la compassion dans son regard et il aurait bien aimé aider le pauvre homme mais, derrière, son caporal gueulait :

— Faites-moi avancer cette bande de traînards !

Les regards de Lazare et Gregoraszczuk se croisèrent. Le gardien lâcha un soupir en serrant les dents. Il devait faire attention : il était défendu de fraterniser avec l'ennemi. Discrètement, il pointa Pawliuk du doigt, se tapa la poitrine pour ensuite se frotter les mains tout en soufflant dessus. L'autre comprit et cligna de l'œil. Le militaire changea alors d'attitude, dirigeant brusquement son bras vers l'avant et hurlant :

– Allez ! Allez !

La marche continua. Lazare avait rejoint son collègue Twardy pour lui glisser un mot à l'oreille.

– OK, fit ce dernier, tandis que Berger se faisait encore entendre de sa voix criarde :

– Soldat ! Reprenez votre place !

– Oui, mon caporal !

Alors que le militaire s'exécutait, le Galicien murmurait à l'oreille de Pawliuk :

– Quand le gros cochon ne sera plus là, tu te colleras sur ce gardien, près du feu. Tu as compris ?

– Quoi ? Es-tu certain ?

– Oui.

Arrivés au bûché, les prisonniers reprirent leurs outils tandis que les gardes déployés un peu partout s'employaient à attiser les feux agonisants. Les godendarts se mirent à grincer, les haches à sectionner.

Les soldats Lazare et Twardy, réunis près d'une flamme, surveillaient leur chef qui se dirigeait de l'autre côté de la colline. Lorsqu'il eut complètement disparu, John Twardy annonça qu'il allait changer de position.

– Si tu me vois revenir, c'est parce qu'il ne sera pas très loin derrière.

– Très bien.

Tandis que son ami marchait dans les traces du caporal Berger, Lazare, qui avait repéré Pawliuk, lui fit signe de la main. Le prisonnier était stupéfait. « Gregoraszczuk aurait-il raison ? » se demanda-t-il. Timidement, il se rendit près du soldat, le regard interrogateur. Ce dernier lui tapota simplement l'épaule et fit un geste comme pour l'inviter à rester près de la chaleur. Absenky Pawliuk, qui avait décodé, fit alors des mimiques. Ses gestes et sa physionomie exprimaient la gratitude et son bienfaiteur sourit.

L'après-midi s'annonçait tranquille. Pawliuk semblait avoir pris du mieux et s'occupait à alimenter le feu. À l'occasion, des bûcherons allaient s'y réchauffer pour ensuite poursuivre leur travail. Pour sa part, Lazare gardait un œil sur le haut de la colline. C'est de cet endroit qu'il vit un militaire arriver à grande course. Il reconnut Twardy. Sans attendre, le soldat fit comprendre à son protégé qu'il devait quitter et aller besogner. Il se tourna vers celui qui venait dans sa direction et remarqua deux hommes qui suivaient derrière : des prisonniers.

— Ça, c'est pas normal, se dit-il.

Il alla à leur rencontre à grandes enjambées. À portée de voix, il beugla :

— Bordel! Que se passe-t-il?

— Un accident, répondit son confrère haletant.

Twardy était arrivé près de Lazare et s'arrêta pour reprendre haleine, le corps incliné vers l'avant, la carabine appuyée de travers sur les genoux. Derrière lui, les autres se penchaient aussi pour récupérer.

— Un bûcheron a été frappé par un arbre, réussit-il à dire entre deux souffles. Il faut aller chercher une civière.

— Tu es à bout de force. Reste ici avec tes gars. Je prends la relève. Tu me relayeras au retour.

— Merci, c'est pas de refus.

Lazare mit les doigts à la bouche et siffla pour attirer l'attention. Il désigna ensuite deux prisonniers non loin et leur fit signe de le suivre. Pour bien leur faire comprendre qu'il fallait agir vite, il plaça son avant-bras vers le haut, le poing fermé et rabaissa une fois, deux fois, trois fois. Ensuite, il désigna la piste allant au camp.

Tandis que les trois hommes s'éloignaient au pas de course, John Twardy se rendit près du feu et s'y accroupit, suivi de ses compagnons d'un instant. Un peu partout, les Ukrainiens avaient cessé le travail et regardaient le soldat qui restait là, immobile, la tête basse. Puis, petit à petit, le bruit des godendarts et des haches reprit.

Averti par un garde, Bernard Berger était arrivé sur les lieux de la tragédie alors que des hommes s'affairaient à coups de hache autour d'un immense sapin couché.

— Il est là! cria quelqu'un. Je le vois.

Le caporal s'avança, bousculant le monde sur son passage. Là, sur le sol, il pouvait voir la forme d'un homme gisant face contre terre, immobilisé sous d'énormes branches. La neige était souillée de sang.

— Il faut des leviers. Vite! Amenez des troncs longs et solides. Dégagez-moi ça aussi.

Un ordre n'attendait pas l'autre. Si désagréable soit-il, les personnes présentes purent constater que Berger était quand même efficace dans les moments cruciaux. En peu de temps, le captif fut tiré de sa fâcheuse position. Il était vivant, mais inconscient. Le sous-officier le fit alors mener près du feu.

— Posez-moi cet abruti-là! Et cette civière? Elle vient ou quoi?

— Soldat! que faites-vous ici?

Jim Buckley se trouvait au poste de garde quand Paul Lazare y fit irruption, en sueur et à bout de souffle. Assis à un bureau, le sergent-major prenait connaissance du rapport journalier tandis que le garde de faction se tenait debout à ses côtés, le corps droit. À l'extérieur, on rassemblait les familles nouvellement arrivées. Les hommes portaient des havresacs en bandoulière. Certains étaient chargés de jeunes enfants. Les femmes se tenaient près de leur homme et les enfants en mesure de marcher cernaient leurs parents, les empoignant par les pans des manteaux, des robes.

« Il fallait bien que je tombe sur cette tête carrée », pensa Lazare.

— Je viens chercher la civière, monsieur. Il y a eu un accident grave sur la colline, dit-il, en se raidissant le corps.

— Qui est blessé? demanda sèchement le sous-officier.

– Un prisonnier, monsieur. Un prisonnier.

Buckley ferma brusquement le registre qu'il était à consulter, se leva et alla se placer droit devant le soldat, le fixant de son regard froid.

– La civière qui est ici est pour l'usage du camp uniquement. Elle restera donc là.

– Mais ?

Un caporal qui venait d'entrer avait claqué la porte, puis les talons :

– Nous sommes prêts, monsieur.

– Très bien ! J'arrive.

Se tournant vers Lazare, il ajouta, cynique :

– Allez donc au dispensaire pour votre civière.

– À… à vos ordres monsieur !

Buckley fit volte-face et sortit. On entendit alors un « En avant marche ! » Les familles se mirent en branle, direction est. Au même moment, Lazare et ses hommes couraient à toute vitesse vers le dispensaire situé à plus d'un quart de mille de là.

Dans la baraque faisant office de maison de santé, le major William s'entretenait avec un sergent d'infirmerie quand ils virent entrer en trombe un gardien suivi de deux prisonniers. L'officier-médecin était plutôt du genre chétif avec un teint blême de vieille femme. D'une nature calme, il se retourna posément vers le trio avant de demander d'une voix où perçait l'accent britannique :

– Que se passe-t-il, soldat ?

Quelques minutes plus tard, accompagnés d'un infirmier, le soldat Lazare et ses aides prenaient le chemin du retour.

Au chantier d'abattage, John Twardy s'impatientait. Son ami aurait dû être de retour depuis longtemps et il ne pouvait s'expliquer ce retard. Aussi, décida-t-il d'aller au-devant de Lazare, emmenant avec lui les deux prisonniers qui l'avaient accompagné jusque-là.

Ils étaient partis depuis peu que déjà ils voyaient au loin Lazare et les siens qui avançaient péniblement. Twardy força alors le pas. À la rencontre des deux équipes, Lazare expliqua rapidement la cause du retard. Le grabat changea de porteurs : la course à relais continuait.

— Mais que faisiez-vous donc ? Par ici ! Par ici !

À l'arrivée des brancardiers, le caporal Berger s'était mis à apostropher Twardy. Constatant la présence du soldat infirmier, il en avait déduit que le quatuor arrivait du dispensaire.

— Pourquoi n'avez-vous pas pris la civière au poste de garde, triple imbécile ?

Le soldat aurait bien aimé lui faire ravaler cette insulte de la bonne façon. Il réussit à se contenir, non sans serrer les poings. Et il répondit à la question de son supérieur le plus sérieusement du monde :

— Mon caporal ! C'est le sergent-major Buckley que vous venez d'injurier.

La réplique avait surpris le sous-officier qui finit par exploser de rage.

— Aïe ! le *smart* ! Si tu me cherches, tu vas me trouver !

— Mais... mon caporal !

— Silence !

Berger jeta un coup d'œil de côté. Le prisonnier amoché était déjà sur la civière. Toujours aussi menaçant, il intima l'ordre d'évacuer le blessé.

— Soldat Twardy ! Je vous ai dans mon collimateur pour une maudite bonne secousse. Vous êtes mieux de marcher les fesses serrées. Allez ! Rapportez-moi cette ordure au camp, maintenant !

L'ordre était accentué par un geste de la main qui balaya l'air.

— Oui, mon caporal.

Et la course reprit. Après un dernier relais, le blessé arriva finalement au dispensaire où il fut immédiatement placé sous examen, entouré du major William et de son équipe.

Quand le soldat Lazare et les siens sortirent du dispensaire, ils gagnèrent directement le camp. Au loin, un long sillon mouvant de monde déferlait sur la pente de la colline.

Au village, Antonia Bator venait de border son enfant. Elle referma doucement la porte de la chambrette et rejoignit son mari à la cuisine.

    — Peter, le petit est très fiévreux. Son mal de ventre ne l'a pas lâché depuis ce midi. Il ne garde pas sa nourriture. Je ne sais plus quoi faire.

    Accoudé à la table, la mine basse, l'homme se tourna vers son épouse. L'anxiété se lisait sur son visage. Il sourit gauchement, voulant se faire confiant.

    — Demain matin, j'emmènerai Iwan au dispensaire. Tu vas voir, il sera vite remis sur pied.

    Ils entendirent alors des pleurs montant de la chambre du petit Iwan.

    — Maman! Maman! Sang! Nez!

    Les parents se regardèrent, incrédules, avant de se rendre d'un même élan dans la chambre de l'enfant.

    — Mon doux Jésus! s'écria Antonia.

Ce soir-là, Absenky Pawliuk mangea avec plus d'appétit. Dans la cabane, tout un chacun parlait de ces deux simples soldats qui avaient fait preuve d'humanité à leur égard. Ils ne connaissaient pas le blessé. « Un gars de la baraque numéro 4 » disait quelqu'un.

    Vint ensuite le couvre-feu. On éteignit et on se coucha. Quelqu'un toussota quelque temps, puis ce fut le silence.

Le lendemain matin, Pawliuk, qui avait sué toute la nuit, se fit porter malade et fut conduit au dispensaire avec d'autres détenus souffrant de différents maux. Joseph Nordman se trouvait aussi là pour traduire les plaintes, les diagnostics et les conseils. Mais le major William s'était levé du mauvais pied et le nombre élevé de prisonniers se disant indisposés n'aidait en rien son humeur.

– Tous des fainéants qui simulent n'importe quoi pour ne pas travailler, maugréa-t-il.

Quand arriva le tour de Pawliuk, il lui fit ouvrir la bouche, constata une inflammation légère. Ensuite, il prit sa température. Normale.

– Il tousse beaucoup? demanda le docteur, tandis que son patient reniflait pour retenir un écoulement nasal.

– Seulement un peu. Mais il dit que depuis quelques jours, il se sent fatigué et qu'il était en nage la nuit passée.

– Hum, un simple rhume. Qu'il prenne beaucoup d'eau. Cela passera. Allez! Suivant!

Et Pawliuk repartit pour la colline tandis que Peter Bator, tenant son fils Iwan dans les bras, entrait dans la salle d'examen. L'enfant fut placé sur un petit lit pendant que le père débitait son histoire : mal de ventre, vomissements, fièvre, saignements de nez.

– Hum… voyons cela de plus près.

William prit la température du malade : 100,4 ºF. Ensuite, il tâta le ventre. Lorsqu'il pressa le côté droit, l'enfant lâcha une plainte. Le médecin y avait remarqué de petites taches rosées lenticulaires qui disparaissaient au toucher, et refaisaient ensuite surface. Pensif, il se retourna vers Nordman.

– J'ai bien peur qu'on ait affaire à un cas de fièvre typhoïde. C'est grave.

Les Bator étaient atterrés. À son retour, Peter avait couché l'enfant et répétait à Antonia les directives qu'il avait reçues du médecin : isolement du malade, vérifications régulières de sa température et de ses selles, régime alimentaire liquide et hygiène rigide.

– Le docteur dit qu'il faut se laver les mains avant d'entrer dans la chambre et aussi en en sortant. La pièce doit être régulièrement aérée, ses vêtements et son lit toujours désinfectés.

– Mon Dieu ! J'espère que mon bébé va guérir, murmura la mère en larmes.

Peter baissa la tête, puis répondit :

– Je ne sais pas. Je ne sais vraiment pas. Mais le médecin-officier veut suivre de très près notre enfant. On doit absolument tout noter. Tu sais, c'est une maladie contagieuse et tu dois te rendre au dispensaire aujourd'hui même pour recevoir un vaccin. Moi, c'est déjà fait.

Les jours qui suivirent furent des plus éprouvants pour Antonia Bator. En plus de la corvée régulière, elle devait porter une grande attention à son fils que la maladie envahissait lentement, insidieuse.

Trop faible, Iwan ne pouvait plus se lever. Ses selles, toujours liquides et de couleur ocre jaune, étaient fréquentes. Antonia devait donc changer régulièrement la couche de son enfant, nettoyer son petit corps, le poudrer de talc, changer ses vêtements, ses draps, et désinfecter le linge souillé. Elle s'occupait aussi du rinçage de la bouche du malade avec de l'eau bicarbonatée. Elle devait prendre mille précautions pour manipuler le petit bonhomme que son ventre gonflé faisait souffrir au moindre attouchement. Elle notait assidûment sa température ainsi que la nature de ses excréments. « La typhoïde est la maladie des mains sales », lui avait dit le docteur. Aussi, devait-elle continuellement se laver dans une solution de sulfate de cuivre, fournie par le dispensaire. La jeune mère voyait à ce que l'endroit soit régulièrement aéré tout en évitant que le froid ne vienne frapper le malade. Enfin, elle préparait les repas : liquide pour son fils, solide pour son mari. Quand la brunante arrivait, elle était exténuée.

Chapitre V

Sorties

Le dimanche, 25 avril 1915

SILENCIEUX, les gens sortaient de la petite chapelle qu'avait béni le Révérend Redkevych avant de célébrer la messe basse. Peu nombreux, les officiers s'étaient rassemblés pour bavarder tandis que les femmes de certains, un peu à l'écart, observaient les prisonniers d'un œil curieux.

— As-tu vu le beau *hunk* là-bas? fit Bridget Cousins à sa voisine.

— *Hunk*? répéta l'autre.

Bridget semblait s'amuser de la candeur dont faisait preuve sa consœur. D'un sourire taquin, elle la regarda.

— Oui. C'est ainsi que l'on appelle ces hommes grands et forts.

— C'est vrai qu'il est superbe.

Elles rirent de bon cœur et l'épouse du lieutenant Cousins enchaîna.

— Ce n'est pas tout, ma chère. On dit, qu'un jour, à la vue d'un de ces jolis étrangers, une dame qui voulait rendre son conjoint jaloux, s'était ainsi exclamée devant ce dernier. Vexé, le mari, qui avait de l'esprit, aurait répliqué que l'inconnu lui faisait plutôt penser à un canard. Il se mit à battre des ailes en lâchant des *hunk-hunk*. C'est ainsi que cette expression insultante leur est restée.

— Ah! ces mâles! Quelle finesse ils ont!

Elles pouffèrent encore, puis Bridget annonça :

— Attention! Nos hommes arrivent.

Pendant ce temps, les prisonniers avaient été regroupés en deux sections. Tout un chacun se saluait alors que ceux du village conviaient les autres pour la visite de l'après-midi. Peu après, les deux blocs se mirent en marche, l'un en direction du camp, l'autre vers le hameau. Les Ukrainiens étaient tristes. Leur guide spirituel avait annoncé son départ. « Je reviendrai, leur avait-il promis. Croyez en Dieu. Il ne vous abandonnera pas. »

— Mais notre peuple vit un enfer. Le Créateur peut-Il être présent au même endroit que Satan? lui avait demandé Peter Bator. Et pourquoi permet-Il que mon fils soit malade?

— Le Seigneur est omniprésent, mon fils. Il est bon aussi, même si ses vues sont souvent impénétrables pour notre compréhension de mortels. S'Il nous éprouve aujourd'hui, c'est parce qu'Il chérit notre race et, je peux te dire que de cette mortification, nous en sortirons grandis.

Sceptique, Bator dodelinait tout en marchant. « S'Il nous aime tant que ça, qu'Il nous sorte de là et qu'Il guérisse mon petit Iwan! » se disait-il.

L'heure du dîner approchait. Gawryl Semeniuk venait d'être libéré et se rendait à sa cabane. Cela faisait près d'une semaine qu'il était enfermé dans un trou noir, nourri seulement de pain et d'eau. Le corps courbé, il marchait avec lenteur, montrait un visage émacié et dégageait une odeur de bête puante. De son avant-bras, il se protégeait de la lumière du jour trop intense pour ses yeux. Sur son passage, les autres prisonniers le regardaient avec pitié. Certains lui tapotaient doucement l'épaule en lui murmurant des mots d'encouragement. Un groupe d'hommes de la baraque numéro 4 s'approcha, l'entoura et le prit en charge.

– Viens, camarade. On est là.

Semeniuk releva la tête et reconnut ses amis. Des larmes se mirent alors à jaillir de ses yeux cernés, inondant ses joues creuses pendant qu'on le portait à l'intérieur.

– J'ai faim! J'ai faim! répétait-il sans cesse d'une voix éteinte.

Un peu plus tard, ils lui annoncèrent la terrible nouvelle : le jour même de son incarcération, son camarade de toujours, Pitre Growaska, avait eu un grave accident dans le bois. Un arbre lui était tombé dessus.

Les deux amis avaient grandi ensemble, fréquenté la même école, courtisé les mêmes filles. Ils avaient eu leur premier emploi du même employeur. C'était aussi coude à coude qu'ils avaient traversé l'océan Atlantique, la tête pleine de rêves, pour finalement aboutir, l'un et l'autre, à Spirit Lake.

– Le docteur a pu lui sauver la vie, mais Growaska restera aveugle pour le reste de ses jours, lui avait annoncé son capitaine de baraque.

Semeniuk resta pantois, l'air abattu, incapable de formuler le moindre mot, comme foudroyé.

Ce dimanche après-midi, les habitants du village s'étaient rassemblés près de l'entrée. Impatiemment, ils attendaient les visites de ceux du camp. Déjà, on distinguait les Gregoraszczuk, Romaniuk, Veink, Wenzel et autres qui s'approchaient sous escorte. Puis, ce fut accolade après accolade avant que les gens ne se dispersent par petits groupes pour gagner les différentes habitations.

Henry et Feodor Romaniuk ne tardèrent pas à se diriger vers la résidence de ce dernier. Chemin faisant, ils croisèrent une petite fille qui faisait un pied de nez à un petit garçon qui lui tirait la langue.

– Ha! Ha! Regarde-moi ces deux gamins-là, dit Henry.

Ils entrèrent dans une maisonnette où les y attendait une Matronna qui avait peine à se mouvoir.

– Reste là, chérie. On va s'installer à la table.

Henry alla embrasser sa belle-sœur assise près d'une fenêtre, puis rejoignit son frère. Il déboutonna alors sa canadienne et sortit une bouteille qu'il exhiba fièrement.

– Sors deux tasses. On va goûter à ça maintenant.

– C'est ça, la surprise dont tu parlais l'autre jour?

– En plein dans le mille, mon vieux!

Le liège sauta tandis qu'un ploc se faisait entendre. Pendant que Henry versait le liquide clair dans les bols qu'avait apportés Feodor, il ajouta :

– Tu vas voir, c'est pas mauvais du tout.

Matronna avait bien pensé rouspéter. Mais en voyant ses deux lurons si heureux, elle se contenta de hausser les épaules avant de froncer les sourcils. Les hommes ne s'y trompèrent pas. Il y avait bien un brin de complicité dans le regard de la femme.

De son côté, le cuisinier Rodolphe Veink était venu voir sa sœur Antonia, mariée à Peter Bator. Ce dernier était allé l'accueillir à l'entrée du village et lui avait annoncé la mauvaise nouvelle.

– Iwan est vraiment malade. Son état s'aggrave.

– Ah! pauvre petit!

En entrant dans la petite maison, Veink arborait un air inquiet. Sans attendre, il se dirigea vers la chambre de son neveu où il trouva la mère penchée sur la couche de son enfant. Le petit garçon avait le teint pâle, le regard vague et les lèvres qui tremblotaient. Antonia alla embrasser son frère :

– Rodolphe, tu ne peux pas rester ici. C'est contagieux.

Il hésita un bref instant. Résigné, il rejoignit Bator dans la cuisine.

Iwan Gregoraszczuk et Frank Wenzel rendaient visite à Mirko et Anna Karpiuk. Les souvenirs de leur enfance revenaient à la surface. Ces hommes, qui avaient fait les quatre cents coups ensemble, se faisaient appeler les « mousquetaires de la Galicie ». Quant à Anna, qui suivait régulièrement son grand frère Frank, elle avait fini par faire partie de la bande. Quelques années plus tard, elle et Karpiuk avaient uni leurs destinées.

À l'évocation de ces souvenirs agréables, ils se taquinaient et riaient, jusqu'au moment où quelqu'un parla de leur arrivée au Canada. Le visage de Gregoraszczuk se rembrunit soudainement. Dans sa tête, des images défilaient : le débarquement de leurs familles au port de Montréal, les poches vides mais la caboche pleine d'espoir ; la difficulté d'y trouver un emploi et un logis convenable ; la séparation d'avec sa mère et d'avec ses amis lors de son départ pour le Manitoba. Le Galicien y avait bien rencontré d'autres Ukrainiens avec qui il s'était lié d'amitié mais, chez les Canadiens de l'Ouest, il avait senti de l'animosité. « Ils ont besoin de nous, mais ne nous veulent pas », avait-il dit à son ami Lazarovici. Vint ensuite la Dépression, et il perdit son emploi. Désœuvré et le ventre vide, il se résolut à retourner au Québec où une misère aussi noire l'attendait. Seule consolation, il avait retrouvé les siens. Depuis, le sort avait réuni la bande en sol abitibien.

— C'est aux États-Unis qu'on aurait dû se rendre en quittant notre Ukraine. Je n'ai rien à foutre de ce pays-ci. C'est de la merde. Seulement de la maudite merde.

— Tu as raison, Iwan. Mais il est trop tard. On est mal foutus, c'est tout.

— Faux ! lâcha Wenzel. On peut toujours s'évader.

— Y as-tu pensé ? En plein hiver et avec ces gardes tout autour qui...

Gregoraszczuk avait coupé la parole à Anna.

— On ne dit pas de partir maintenant. Non, mais cet été par exemple... Et puis, pour les soldats, j'en fais mon affaire. J'ai un contact qui...

Il s'arrêta net, indécis. Il se tourna vers Wenzel cherchant du regard son assentiment avant de continuer. L'autre hocha la tête tandis que le couple Karpiuk, dont il avait manifestement piqué la curiosité, lançait de concert :

– Un contact ?

Gregoraszczuk se porta alors vers l'avant, les bras déployés le long de la table, et poursuivit sur un ton solennel, mais d'une voix basse, presque inaudible.

– Il s'appelle Pawel. Je ne peux pas vous en dire plus sur lui.

– Comment ça ? s'exclamèrent ses hôtes.

Le Galicien fronça les sourcils.

– Croyez-moi, il y va de sa sécurité. Pas même Frank ne connaît son identité. Un jour, Pawel m'a appris que plus à l'ouest, près d'une petite ville appelée La Sarre, là où la rivière White Fish traverse la voie ferrée, il y a des Allemands naturalisés : les frères Zimmerman. Ce sont des squatters qui se sont établis le long de la Transcontinentale. Ces *boches* sont disposés à nous aider moyennant quelques dollars. Tout ce qu'on aurait à faire pour les rejoindre, c'est de suivre les rails sur une distance d'environ soixante milles, et le tour serait joué. Ils nous hébergeraient, nous fourniraient vêtements et faux papiers pour que nous puissions traverser les lignes sans embûches et demander l'asile politique.

– Comment pouvons-nous faire cela ? demanda Karpiuk, incrédule. La seule façon de sortir de cette région est le train. C'est la première chose que les soldats inspecteront. Nous sommes fichés comme des criminels. Nous ne parlons même pas la langue d'ici. Ils nous reconnaîtront facilement. De plus, la frontière est surveillée de partout.

Les yeux pétillants, Gregoraszczuk expliqua :

– Premièrement, il y en a qui, comme moi, se débrouillent en anglais. Et puis, on peut facilement se faire passer pour des immigrés russes. Pour les vérifications, il est vrai que les convois seraient ciblés, mais pas ceux qui vont en direction du camp et, surtout, pas une semaine après l'évasion.

– Là, je ne te suis plus. Mais plus du tout. Tu veux dire que tu te taperais une marche jusqu'à La Sarre pour ensuite revenir en train! Mais pourquoi?

– Parce que le chemin de la liberté est dans l'autre direction : Akwesasne, une réserve amérindienne à cheval sur les lignes du Québec, de l'Ontario et de New York.

– Ah oui! Mais j'y pense. L'argent! Comment vas-tu te le procurer?

C'est Wenzel qui répondit.

– Des fonds sont présentement amassés pour aider ceux qui décideront de partir et...

– Chut! fit soudainement Anna Karpiuk. Quelqu'un vient.

C'était un militaire. Le temps était arrivé pour les visiteurs de regagner le camp.

– On s'en reparlera, conclut Gregoraszczuk. Il se leva, suivi de Wenzel.

Anna embrassa ses hôtes tandis que son mari exhortait à la prudence.

– Prenez garde à vous et, à la prochaine, les amis.

En sortant, les deux compères tombèrent sur Henry Romaniuk, la canadienne déboutonnée et la coiffure de travers sur le crâne. Visiblement ivre, l'homme hoquetait.

– Allô! les... les gars!

Les deux amis n'eurent pas besoin de se concerter. D'un commun accord, ils encadrèrent Romaniuk.

– Viens là!

– Hic! Mais... mais voyons! Que... que faites-vous?

En deux temps trois mouvements, le pochard se retrouva entre deux cabanes, le dos contre un mur, à l'abri des regards.

– Heureusement, les soldats ne l'ont pas vu. Vite, Frank, attache-lui son manteau, redresse-lui le chapeau. Henry, où est ta bouteille?

– Je... je l'ai ici, sur le... le côté.

Wenzel le fouilla et sortit le litre vide pour le cacher dans son propre manteau.

— Maintenant, tu ne dis pas un seul mot.

Quelques secondes plus tard, le trio réapparut, Romaniuk au milieu, le corps bien droit. Gregoraszczuk était fulminant.

— Il va falloir dire à Zator d'arrêter. On va finir par se faire prendre.

— On ne peut pas. On a besoin de beaucoup d'argent. Souviens-toi.

— Des sous, nous en recevons aussi de nos gens à Montréal.

— Pas suffisamment! Tu le sais très bien.

Le Galicien grimaça, puis se rallia.

— D'accord! Mais tu es mieux d'avoir une bonne conversation avec Romaniuk avant d'y fournir une autre bouteille.

— Tu peux compter sur moi pour ça.

— Bon! Allons rejoindre les autres.

Chapitre VI

Mortalité et naissance

Le lundi, 3 mai 1915

L E CAS du jeune Iwan Bator préoccupait le major William au plus haut point. Ce matin, le père de l'enfant lui avait annoncé que la température avait chuté brutalement et ses selles étaient noires comme du charbon. « Sans doute une hémorragie intestinale, pensa tout de suite le médecin. Il faut que je me rende au village sur-le-champ avec Nordman. »

Sans plus tarder, il renvoya ses autres patients.

– Revenez cet après-midi.

Des chevaux furent rapidement sellés. William retrouva un malade aux traits tirés, les yeux cernés et enfoncés, le nez pincé et la langue sèche. L'enfant avait le hoquet, frissonnait, respirait péniblement et une sueur visqueuse recouvrait son corps. Il avait aussi un ventre de bois qui le faisait extrêmement souffrir. Le médecin ne se fit pas d'illusions. Le petit allait mourir.

– Je ne peux plus rien faire, déclara-t-il aux parents éplorés. Je vais prendre les dispositions nécessaires pour qu'un prêtre vienne le plus vite possible.

Entretemps, le sergent-major Buckley se présentait au bureau de son supérieur. Le corps raide, le militaire claqua les talons tout en saluant.

– Vous m'avez demandé, lieutenant?

Debout à sa fenêtre, John Gilmour se retourna.

– Oui. Repos, sergent-major.

D'un geste sec, Buckley écarta la jambe droite de la gauche, tout en se plaçant les mains derrière le dos, les phalanges pointant vers le bas.

– Voilà! reprit Gilmour. Nous venons d'apprendre qu'à Montréal, un prisonnier a été abattu par un gardien lors d'une tentative d'évasion survenue en fin de semaine. L'homme est décédé sur le coup…

– *Good!* Cela fait un criminel de moins. J'ai toujours dit qu'un bon ennemi est un ennemi mort.

Le lieutenant toisa celui qui venait de lui couper la parole. Le sous-officier avait un regard qui trahissait une soif de jouissance et de violence. La réplique fut cinglante :

– Gardez votre cynisme pour vous, sergent-major. Je ne tolérerai plus de pareilles stupidités venant de votre part. Et, croyez-moi, je ne badine pas.

L'autre avait figé et l'officier de continuer :

– Cet Ukrainien s'appelait John Bauzek. Ce que je veux, c'est que nos détenus soient au courant de ce fait. Mon but est de décourager quiconque aurait l'idée d'en faire autant ici à Spirit Lake.

– Très bonne idée, mon lieutenant.

Gilmour jeta un regard sur son vis-à-vis dont le visage rembruni trahissait la véritable pensée. « Il a vraiment une mine patibulaire et toujours prêt à flatter ses supérieurs, ce damné lèche-cul. Il est facile de l'imaginer en train de décharger avec plaisir son arme dans le dos d'un de ces pauvres hères. » Se contenant, il poursuivit :

– Alors, voici ce que vous allez faire. Si, lors de l'inspection du courrier, vous trouvez un exemplaire de leur journal

Ukrainskyi Holos traitant du sujet, vous laisserez passer. Il en sera de même pour toute correspondance jusqu'à nouvel ordre. Avez-vous compris?

— Oui, mon lieutenant.

— Très bien! Vous en informerez monsieur Nordman. Vous pouvez disposer maintenant.

Après le salut d'usage, le subalterne fit volte-face. Gilmour le regarda quitter, la figure grimaçante de dédain. « Décidément, nous n'aurons jamais d'atomes crochus, nous deux. »

Tard dans l'après-midi, le colonel William Rodden et son chef cuisinier étaient au mess des officiers. Confortablement installés près du foyer, les deux hommes s'entretenaient tout en sirotant un gloria.

— Ainsi donc, mon cher ami, je pourrais obtenir une terre arable de cent acres située aux limites du camp.

— Croyez-moi, je sais de quoi je parle. J'étais agent forestier en 1911, quand le ministre des Terres m'a fait venir en Abitibi.

N'étant pas militaire, Fortier ne voyait aucune raison de terminer ses phrases par un « monsieur » ou « mon colonel ». En fait, cette façon de faire, de rigueur dans l'armée, l'exaspérait. Il se tut et le colonel reprit :

— Et à la fin de la guerre, lorsque la colonisation reprendra, je pourrais en tirer grand profit, car les prisonniers l'auront bûchée et essouchée pour moi. Ha! Ha! Ha!

Mal à l'aise devant cette affirmation, Pascal Fortier ravala sa salive tandis que le rouge de son teint s'accentuait. Il avait senti son sang monter. Il toussa en feignant de s'étouffer.

— Bien sûr... Vous pourrez disposer de votre propriété comme bon vous semblera.

Rodden se caressa alors la gorge tout en fixant un point au plafond.

— Dites-moi. Je suppose que mon gendre, le lieutenant Cousins, pourrait bénéficier aussi de cette occasion d'affaires?

– Euh… Pourquoi pas ?

– Parfait ! Je m'occuperai moi-même des détails.

Et l'officier leva sa tasse.

– À la vôtre, monsieur Fortier.

Le soleil avait viré au rouge du couchant. Dans la demeure de Peter Bator, l'abbé Dudemaine venait d'appliquer l'huile bénite sur le petit corps et recommandait maintenant l'âme du mourant.

– Sainte Marie, priez pour Iwan. Saints Anges et saints Archanges, priez tous pour lui…

Près du prêtre, Antonia Bator avait les yeux mouillés de chagrin. Les mains jointes, elle priait elle aussi. Derrière elle, la figure de son mari avait pris l'aspect d'un masque de pierre tandis que l'homme d'église continuait.

– Soyez touché, Seigneur, de ses gémissements et de ses larmes. Puisque Iwan n'a de confiance qu'en votre miséricorde, daignez l'admettre au sacrement de votre réconciliation. Par Jésus-Christ, Notre Seigneur, ainsi soit-il.

La main flasque du petit Iwan Bator glissa lentement le long de sa couche. Son teint était de cire et ses yeux révulsés. L'enfant venait de rendre son dernier soupir. Tendrement, le pasteur posa la main sur le visage du chérubin et, quand il la retira, les paupières étaient closes. Antonia se jeta alors à genoux pour réciter un *Ave Maria* d'une voix tremblante tandis que son époux se collait le visage contre le mur et le martelait de son poing.

Pendant ce temps, au camp de Spirit Lake, Absenky Pawliuk, amaigri, se reposait sur son lit. Depuis quelques jours, il avait la gorge un peu enflée et sa toux, quoique rare durant la journée, était de plus en plus sèche.

– Tu devrais retourner au dispensaire, lui conseilla Jan Drobei venu le voir. Tu ne fais que tousser la nuit.

– Je sais, répondit Pawliuk d'une voix enrouée. Mais le docteur...

Une quinte subite l'empêcha de continuer. Il sentit son souper remonter et fit le geste de se lever. Trop tard. Il avait régurgité.

Le lendemain matin, au dispensaire, le major William recevait Pawliuk. Ce dernier était légèrement fiévreux et avait confirmé au médecin de fréquents maux de tête ainsi qu'une sensation de suffocation. Sa toux était pénible et il avait des expectorations abondantes. Le médecin diagnostiqua une bronchite aiguë.

– Bon, très bien. Cet homme est dispensé de travail pour deux semaines. Mais il doit garder le lit. Nous allons lui badigeonner la gorge et un infirmier se rendra lui appliquer un cataplasme qui sera changé régulièrement.

– Vas-y! Vite Feodor! C'est le temps!

Alitée, Matronna Romaniuk baignait dans les eaux qu'elle venait de perdre et avait administré un magistral coup de coude au flanc de son mari. À demi endormi, celui-ci roula de haut en bas de la couche. À quatre pattes, les cheveux en bataille et les yeux ronds, il finit par se relever d'un bond, prêt à partir en caleçon.

– J'y vais, mon amour! Que je t'aime, ma petite Matronna!

– Espèce de grand fou. Habille-toi!

– Euh... quoi? Ah oui!

Ayant repris ses esprits, l'homme sauta dans ses pantalons. Bientôt nippé de sa canadienne et de ses mocassins, il quitta comme l'éclair tout en enfonçant sur sa nuque la calotte plate qu'il avait agrippée en sortant.

À bride abattue, Feodor Romaniuk sillonna le petit village dormant, éclairé par une lune ronde et des milliers de petits points scintillants sur un fond de jais. Arrivé à la cabane des Karpiuk, il frappa à coups répétés tout en criant.

– Mirko! Anna! Réveillez-vous!

– Qui va là? demanda une voix ensommeillée.

– C'est moi!

– Qui ça, moi?

– Feodor. Ouvrez, bon Dieu!

– Ça va! On vient!

La porte grinça et le visage d'Anna apparut dans l'ouverture.

– Qu'y a-t-il?

– C'est Matronna... Elle va accoucher.

– J'arrive!

Promptement, ils furent rendus au chevet de la future mère. Celle-ci était déjà dans ses douleurs et son visage enflé et vineux ruisselait de sueur.

– Aïe! Aïe!

Sans attendre, la sage-femme prit les rênes. Elle caressa la chevelure de son amie et tout doucement, l'accompagna dans son accouchement.

– Tout va bien aller. Tu vas voir. Détends-toi. Respire par petits coups. C'est ça. Continue...

Et, se tournant vers le mari qui se roulait les pouces :

– Feodor, fais bouillir de l'eau et apporte des linges.

L'homme se précipita. Il remplit un chaudron qu'il posa sur le poêle brûlant et apporta des serviettes.

– Merci!

Énervé, le futur père se tenait là, maladroit, encombrant, ne sachant que faire. Timidement, il demanda :

– Je peux faire autre chose?

– Mais non, laisse-moi faire. J'ai l'habitude.

Tandis que Romaniuk arpentait la pièce, Anna s'était installée devant sa patiente haletante.

– Oui, oui, comme cela... Pousse! Pousse!

– Aïe!

– Ta respiration! N'oublie pas ta respiration.

La sage-femme annonça enfin :

— Courage! Je vois sa tête. Il s'en vient. Continue à pousser. Bravo!

Feodor entendit un petit bruit sec suivi des pleurs d'un enfant, tandis qu'Anna taquinait la nouvelle mère.

— Tu fais vraiment ça comme une chatte, ma chère.

Quelques instants plus tard, Matronna Romaniuk tenait dans ses bras sa première-née enveloppée dans des langes immaculés.

— Nous l'appellerons Anny, annonça-t-elle d'une voix chantante.

« Resserrez la discipline! »

Tel était le mot d'ordre du général Otter. Six jours plus tôt, un sous-marin allemand, qui participait à un blocus des Îles britanniques, avait torpillé et coulé le grand paquebot anglais *Lusitania*, sans avertissement et sans rien tenter pour sauver les passagers et les hommes d'équipage en détresse. Plus de mille deux cents personnes y avaient perdu la vie, dont cent vingt-quatre citoyens américains.

Dans son bureau, le colonel Rodden déposa la missive qu'il venait de lire à haute voix à son adjoint, le capitaine Labelle.

— Ainsi donc, l'ennemi a violé le code international des nations, dit ce dernier. Mais ces mesures de répression envers les prisonniers de guerre, n'est-ce pas exagéré?

— Vous n'êtes pas là pour discuter les ordres, capitaine.

— Loin de moi cette idée, mon commandant. Sauf que nous savons que si les Yankees exportent du matériel de guerre en Angleterre et en France, ils envoient aussi des fournitures en Allemagne. Avec qui sont-ils exactement?

— C'est vrai qu'ils font des affaires d'or. Mais je suis prêt à parier qu'avec l'affaire du *Lusitania*, les Américains vont se réveiller et se ranger du côté des alliés.

— Espérons-le mon colonel.

Les prisonniers avaient réintégré leurs baraques pour le dîner. Réveillé par la cohorte, Absenky Pawliuk, enveloppé comme un ver à soie, s'était levé. Son estomac gargouillait et un bon potage lui ferait grand bien, se disait-il. À la table, tandis qu'il savourait son bouillon, ses compagnons d'infortune le taquinaient :

— Eh ! Pawliuk ! Passe-moi la moutarde.

De bon cœur, il riait avec eux. Son état s'était grandement amélioré. Il lui restait encore quatre jours de convalescence mais déjà, il se sentait d'attaque.

Pendant ce temps, Iwan Gregoraszczuk et Jan Drobei avaient rapidement englouti leur repas pour ensuite se rendre près du poêle, au fond de la cabane. L'affaire du *Lusitania* avait circulé comme un coup de vent et le capitaine de baraque, inquiet, craignait la réaction des Américains. Gregoraszczuk s'alluma une cigarette, aspira une bouffée de fumée qu'il s'amusait à rejeter en faisant des cercles. Il se tourna vers son voisin qui venait de lancer :

— La soupe est chaude, je crois.

— Pas si sûr que ça. À ce que je sache, les États-Unis restent à l'écart du conflit malgré tout.

— Oui. Mais pour combien de temps ?

Gregoraszczuk haussa les épaules.

— Ces maudits Allemands ! C'est quoi l'idée de torpiller un paquebot transportant des civils ?

— Je ne sais vraiment pas. C'est pas normal. Il y a certainement quelque chose de louche en dessous de tout ça. Pour l'instant, tu devrais reporter ton départ en attendant que les choses se tassent. Les Yankees ne doivent pas nous apprécier particulièrement ces jours-ci.

Gregoraszczuk se racla la gorge, écrasa sa cigarette. Puis, sur un ton qui n'admettait aucune réplique :

— Je n'ai pas l'intention de retarder quoi que ce soit. Tout est déjà organisé de bout en bout.

Drobei comprit, aussi prit-il la tangente.

– Parlant d'évasion, que penses-tu de cette affaire de Montréal ?
– Bah ! Un coup de tête probablement. Un pauvre gars qui n'avait pas planifié son affaire.
– Ouais ! Tu feras quand même attention. En laissant passer ce journal, les autorités nous envoient un message des plus clairs. Penses-y !

Depuis maintenant deux semaines, la petite Carolka Manko avait un caractère maussade. Elle ne pouvait souffrir son frère et ses sœurs. Elle pleurnichait dès que quelque chose la contrariait. La fillette avait aussi le ventre dur. « Elle doit être encore constipée, disait sa mère. Une bouillie à la farine d'orge fera l'affaire. »

Mais dans les jours qui suivirent, l'enfant se mit à perdre l'appétit et à vomir.

– Maman ! Bobo ! geignait-elle.

Elle recherchait l'isolement dans l'ombre de sa chambre et frictionnait de sa petite main un cou devenu raide. La mère, intuitive, crut bon de prévenir ses autres enfants.

– Ne faites pas de bruit. Laissez votre petite sœur se reposer. Allez jouer dehors.

Ce mercredi, la fillette s'était réveillée avec des maux de tête doublés d'une forte fièvre. Son ventre douloureux avait aussi pris du volume. La benjamine avait le teint pâle et le regard triste. C'en était trop pour Katharina qui avait apostrophé son mari.

– Tu vas l'emmener au dispensaire. C'est pas juste une simple constipation qu'elle a. J'en suis certaine.

Andruk Manko partageait la crainte de sa femme mais trouvait dangereux d'exposer sa fillette au froid.

– Je vais plutôt aller chercher le médecin.

Le major William était sceptique. La petite Carolka avait certains symptômes d'une méningite tuberculeuse et le pronostic d'une telle maladie est sans appel : la mort à brève échéance. Par ailleurs, cette montée subite de la température, cette langue pâteuse et cette douleur au ventre lui rappelaient les symptômes du petit Iwan Bator : la typhoïde, auquel cas il ne donnait pas cher de la peau de la malade.

– Il est difficile de me prononcer avec certitude, dit-il à Joseph Nordman, venu l'accompagner. Mais c'est grave. En attendant, il faut que ces gens soient vaccinés. Nous devrons aussi faire le tour du village, à la recherche de cas semblables. On peut avoir affaire à une épidémie.

Les Manko avaient été réunis dans la cuisine. Mary, Anne et John entouraient leur mère et la saisissaient par la jupe. Le père s'était tiré une chaise à l'écart. Assis à la table, William avait péroré ses instructions à l'interprète. Nordman s'adressa ensuite aux membres de la famille.

– Carolka est très malade. Elle doit demeurer isolée dans sa chambre car il y a risque de contagion. Il faut éviter le bruit et son alimentation doit être liquide.

Puis, regardant la mère :

– Continuez à combattre la constipation et appliquez-lui de la glace sur la tête. Prenez la température matin et soir et notez le nombre et la consistance de ses selles. Gardez toujours les mains propres…

À la fin de l'allocution, le major sortit une seringue de sa trousse.

– Le médecin va vous injecter un vaccin, maintenant.

Les yeux des enfants s'agrandirent d'effroi. Ils gardaient leurs mains crispées sur la jupe de leur mère tandis qu'Andruk s'avançait vers le docteur, le bras allongé et la manche retroussée.

Katharina Manko entreprit alors un dur combat contre la maladie de sa Carolka. Les soins que nécessitait sa fille étaient exigeants, mais la femme s'était armée de patience. Lavements et désinfections n'en finissaient plus. Avec le temps, la diarrhée avait remplacé la constipation. Le ventre de la malade se ballonnait tandis que le reste du corps maigrissait. Le sommeil était rare, les nuits blanches, fréquentes. La mère ne se décourageait pas pour autant, persistant toujours dans sa lutte. Une lutte perdue d'avance.

Dix jours après la visite du major William, Carolka Manko n'était plus de ce monde. La petite Mary se souviendrait toujours de cette journée où elle avait vu sa mère poser des pièces d'un cent sur les orbites creusées de sa jeune sœur sans vie. La vision de son père plaçant le petit corps dans une boîte faite de planches de sapin ferait aussi partie de ses pénibles souvenirs.

Le lendemain du décès, à l'entrée du village, des hommes piochaient dur en creusant une fosse dans la terre gelée au pied d'un cap de roc. Une petite croix de bois marquait déjà l'endroit où reposait Iwan Bator. L'enfant Manko allait bientôt l'accompagner dans son dernier repos.

Chapitre VII

Réalité et illusion

Le vendredi, 4 juin 1915

DE SON SOUFFLE doux, le printemps avait lentement chassé l'hiver qui, sous le couvert de la nuit, faisait de temps en temps des incursions, y jetant un froid de canard et figeant la nature. À l'aurore, l'astre jaune se pointait à l'horizon. Pouce par pouce, il reconquérait son territoire, le ravivant de ses chauds rayons.

À Spirit Lake, le temps était à la tempête. Un autre conflit s'y vivait. « Resserrez la discipline ! » avait dit le commandant. Pour le sergent-major Buckley, cela voulait dire être plus agressif. Aussi, se complaisait-il à encourager les brimades. Une boule de mécontentement grossissait de plus en plus dans les rangs des prisonniers. Certains, plus impulsifs, étaient même prêts à la grève.

Tel était le cas de Stefan Galan. Il était décidé : à partir de ce jour, il ne se laisserait plus insulter, refuserait de travailler. « Ils veulent nous en faire baver. Eh bien ! ils vont voir ! »

Ce matin, les bûcherons étaient réunis dans la grande cour. Vêtus de leurs chemises de laine et portant leurs outils, ils attendaient le départ vers la colline. Les soldats étaient aussi en place. Buckley allait donner son ordre quand soudainement une hache fut projetée devant, sur le sol rocailleux. Le sergent-major blêmit. Un silence de mort enveloppa la scène.

— Qui a fait ça ? gueula le sous-officier.

Le caporal Berger avait tout vu. Tel un chien enragé, il se rua, assénant un coup de crosse de carabine au flanc de Stefan Galan.

— Ramasse ça, maudit *coin-coin*!

Mais le prisonnier s'était raidi et ne broncha pas. Il fixa son tortionnaire et, rictus au visage, lui fit un magnifique bras d'honneur.

— Tiens, espèce de bouledogue!

Le caporal voulut frapper encore mais l'autre évita le coup. Prolongeant son élan, Berger perdit pied et culbuta de tout son long.

— Refusez de travailler! cria Galan qui s'était tourné vers les siens. Vous n'y êtes pas obligés.

Le sous-officier s'était vite relevé. La rage le faisait écumer. Il brandissait maintenant sa carabine par le bout du canon et s'en servant comme d'une batte de base-ball, martelait à tour de bras le dos, les épaules et la tête du mutin qui finit par crouler sous les coups.

Un prisonnier de la baraque numéro 2 avait bien fait un geste pour défendre le rebelle mais, près de lui, son capitaine de groupe l'avait retenu en lui prenant fermement le poignet.

— Ne fais pas l'imbécile. C'est pas le temps. Galan est un canard boiteux, un individualiste qui ne peut que nous attirer des ennuis encore plus gros que ceux que nous vivons présentement.

Les soldats Lazare et Twardy assistaient à la scène, impuissants. Buckley lui, jouissait du spectacle : l'œil du maître était complice, son sourire, béat.

— Conduisez-moi ce chien au cachot! finit-il par beugler. Il va en prendre pour quinze jours.

Berger voulut empoigner Galan par le col du cou, mais ce dernier le repoussa. Il se releva seul. Il avait le visage ensanglanté mais la fierté se lisait dans son regard un peu fou. Ce fut en roulant les épaules qu'il se rendit au poste de garde, escorté de deux soldats.

Au même moment, le lieutenant Gilmour était au bureau du capitaine Labelle. Ensemble, ils étudiaient une carte du site de Spirit Lake, étalée sur un bureau.

— Vous voyez ce terrain. Eh bien ! il faudrait le bûcher et l'essoucher ! Cela représente deux terres de cent acres chacune.

— Mais c'est à l'extérieur des limites du camp, s'exclama Gilmour. Pourquoi envoyer les prisonniers travailler là ?

Son supérieur haussa les épaules, souriant gauchement.

— Ne posez donc pas de questions, lieutenant.

— Quand même ! Pouvez-vous me dire à quoi tout cela rime ? Nous en avons déjà plein les bras avec ce qu'il y a à faire.

— Je sais. Mais moi aussi je reçois des ordres. Je ne fais que vous les transmettre.

Le jeune officier comprit vite. La seule personne qui pouvait donner des instructions à Labelle était le grand manitou. Et il l'avait déjà vu manigancer. C'était le patron et il n'y avait rien à redire.

— Je vois ! lança-t-il.

— Bien. Alors, je compte sur vous pour qu'une équipe soit affectée dès demain à ce travail.

— Euh… oui, mon capitaine.

Sur le terrain, un groupe de prisonniers avait commencé à essoucher. Les longs moignons enchaînés étaient déracinés sous la force des chevaux tandis que des nuages mouvants de petites mouches noires et de maringouins harcelaient les travailleurs, bloquant leur vision, les piquant, envahissant les bouches et les narines. Les hommes grimaçaient, se raclaient la gorge, crachaient et gesticulaient, balayant constamment l'air chaud de leurs bras. Les moustiques les obligeaient à respirer court, les faisaient suer autant que le labeur qu'ils effectuaient par à-coups. Les Ukrainiens faisaient connaissance avec une autre facette de cette région sauvage : l'enfer avait changé de visage.

Gawryl Semeniuk faisait partie de cette équipe nouvellement constituée. Après trois heures de ce supplice, il lâcha soudainement les rênes et se mit à courir comme pour se sauver de cette nuée noire qui le poursuivait, l'encerclait. Il avait le visage hagard et gueulait à pleins poumons.

– Eh! où va-t-il, celui-là? Attrapez-le! Il veut se sauver.

L'homme à demi-fou fut rapidement intercepté par un garde.

– Allez! Retourne au travail!

Mais Semeniuk ne comprenait rien, ne voyait plus rien. Dans son élan, il bouscula celui qui se trouvait sur son passage et continua droit devant. Rejoint plus loin, un soldat le ceintura pour ensuite le projeter au sol tandis que d'autres venaient lui prêter main forte. Le prisonnier était hors de lui et roulait les yeux tout en émettant des sons désarticulés. À bout de nerfs, sa force avait doublé et les militaires ne pouvaient le contenir. Quelqu'un leva alors sa carabine et, avec la crosse, frappa le dément qui perdit connaissance.

Semeniuk rejoignit Stefan Galan à l'ombre. La répression commandée par Buckley venait de faire une autre victime.

On était à la veille du grand jour. Après le souper, Iwan Gregoraszczuk s'était arrêté entre la cuisine et la boulangerie. Appuyé contre un mur, près du coin, il frotta une allumette et s'alluma une cigarette. Seule sa silhouette se profilant vers l'est témoignait de sa présence tandis que de l'autre côté, la voix d'une personne restée dans l'ombre d'un des bâtiments se faisait entendre.

– Iwan?

– Oui.

– T'es toujours prêt pour demain?

– Exact.

– Bon. Les Zimmerman sont avisés. Ils vous attendent. Un corset sera étendu sur la corde à linge pour vous aider à identifier la maison.

– Quoi? Un corset?

– Ha! Ha! Tu as bien entendu.

– Ils sont fous, ces Allemands!

– L'idée est vraiment bonne quand même.

– Pour ça, oui. Changement de propos, crois-tu que le consul général a reçu la lettre?

– Probablement. Je l'ai fait passer par quelqu'un qui se rendait à Montréal la semaine dernière.

– Cette personne, elle est sûre?

– T'en fais pas pour ça. Je réponds d'elle.

Gregoraszczuk aspira une bouffée puis relâcha la fumée avant de continuer.

– J'espère qu'il va faire bouger les choses.

– Je le crois. Il s'occupe beaucoup de nos gens.

– Très bien. Je dois m'en retourner maintenant. Adieu, Pawel!

– Adieu, Iwan! Bonne chance!

Gregoraszczuk écrasa sa cigarette et, lentement, se rendit à sa baraque. Avant d'entrer, il jeta un bref regard vers l'ouest, là où ses pas le conduiraient bientôt.

À l'intérieur, les autres prisonniers étaient silencieux. La journée avait été éreintante et la majorité pensait plus à se reposer qu'à bavarder. Le Galicien se rendit à sa couche et tout comme les autres, s'allongea. Il avait fermé les yeux depuis peu quand il entendit une voix tout près.

– Alors, mon grand? Toujours décidé?

C'était Maftey Rotari qui venait de s'appuyer contre une des poutres soutenant le lit du haut. Gregoraszczuk, qui n'avait ouvert qu'un œil au début, se redressa avant de répondre:

– Plus que jamais.

– Tiens, j'ai ce que tu m'avais demandé.

Rotari se pencha et glissa un objet métallique dans la main du candidat à l'évasion : une pince. Gregoraszczuk s'empressa de camoufler l'outil sous son matelas de fortune.

– Merci!

– Pas de quoi, répondit l'autre.

– Tu as su pour Galan?

Le menuisier fit une grimace.

– Parle-m'en pas. Je l'avais pourtant prévenu depuis le tout premier jour. Mais il est imprévisible et il fallait bien s'attendre que ce siphonné en arrive là tôt ou tard.

– C'est malheureux tout de même.

– Je sais. Apparemment qu'un autre prisonnier en a mangé toute une aujourd'hui. On dit qu'il a refusé de travailler lui aussi.

– Tu parles de Semeniuk?

– Quoi? Encore lui? Il n'a pas eu sa leçon la première fois?

– C'était pas de sa faute. Les mouches l'ont rendu fou.

Rotari dodelina de la tête, puis lâcha un soupir.

– Quelle histoire! Bon. Je vais aller prendre une marche avant le couvre-feu. Salut, Gregoraszczuk.

– Oui, merci encore.

Consulat général américain
Montréal, Québec.

Depuis le début de la guerre, le consul général Harrison Pradley et son personnel s'activaient à aider les indigents autrichiens et allemands cantonnés dans les taudis des quartiers pauvres de Montréal. Pradley organisait des soupes populaires et visitait régulièrement les familles dont les hommes étaient, pour la plupart, sans emploi. Il distribuait nourriture, vêtements et, si nécessaire, payait le loyer de plusieurs centaines de ces gens, en majorité des Austro-Hongrois. De son côté, le gouvernement canadien couvrait les dépenses qu'occasionnaient ces étrangers ennemis en attendant que les habitations de Spirit Lake soient prêtes à les recevoir.

Le consul général s'était fait un portrait optimiste mais naïf de ce qui attendait ses protégés en Abitibi. Pour lui, le projet que voulait développer le « département » de l'Agriculture à Spirit Lake permettrait aux internés d'apprendre le métier d'agriculteur. Il y voyait un grand village sans clôtures autres que celles érigées par les occupants autour de leur propriété : des maisons avec des potagers. Il imaginait un environnement sain pour les femmes et les enfants, tandis que les hommes étaient occupés à des travaux extérieurs, aux ordres de leurs propres chefs. À la fin des hostilités, ceux qui le voudraient pourraient exploiter une terre arable autour d'un magnifique lac, tout en bénéficiant de l'aide technique d'une ferme modèle à proximité.

Quelle ne fut pas sa surprise lorsque les plaintes de ses protégés commencèrent à lui parvenir. En plus de Spirit Lake, il recevait aussi d'autres missives en provenance du camp de Kapuskasing. Toutes décrivaient les mauvais traitements que subissaient les prisonniers.

— *Oh, my God! We have to do something!*

Chapitre VIII

Fuite

Le samedi, 5 juin 1915

J OHN GILMOUR, ayant eu vent de l'affaire Semeniuk, avait mandé le sergent-major Buckley à son bureau.

— Selon mes informations, ce prisonnier ne cherchait nullement à s'évader. Faites enquête là-dessus! J'attends votre rapport. Je le veux sur mon bureau dès aujourd'hui.

Le sous-officier, figé dans une attitude de garde-à-vous, répondit :

— Oui, mon lieutenant! Ce sera tout, monsieur?

— Non. Si j'ai vu juste, je veux que cet homme soit libéré avant même que vous me produisiez votre compte rendu.

— À vos ordres!

Buckley rageait. Il se demandait qui renseignait ce jeunot de lieutenant. Il aimerait bien mettre la patte sur ce cochon d'informateur. Un jour, il le trouverait et le traître passerait un mauvais quart d'heure. Mais, pour l'instant, le sergent-major devait obéir. Quittant son supérieur, il se rendit directement au poste de garde.

– Il faut libérer Semeniuk. Gilmour s'en est mêlé.
– Et Galan? demanda le gardien.
– Lui, il reste là.
– Et pour la nourriture?
– Au pain et à l'eau comme d'habitude! Un repas seulement aux trois jours. J'y pense. Faites-lui donc nettoyer les chiottes dans le camp, avec une brosse à dents.
– Bien, monsieur!

Satisfait d'avoir reporté sa hargne, Buckley s'en fut, avec un sourire vainqueur. « Nettoyer les chiottes avec une brosse à dent! Maudit que je suis intelligent d'avoir trouvé ça! »

En ouvrant la porte de la cellule, le geôlier trouva Semeniuk complètement nu. Accroupi, le regard perdu, il jouait dans ses excréments. Le camp de concentration avait eu raison de l'Ukrainien. Bientôt, il serait transféré à l'asile Saint-Jean-de-Dieu.

La journée de travail était terminée. Les prisonniers avaient soupé et certains en profitaient pour faire des emplettes à la cantine. Iwan Gregoraszczuk et Frank Wenzel y étaient, faisant provision de tablettes de chocolat, de paquets de cigarettes et d'allumettes dont ils remplissaient leurs poches. De retour à leur cabane, ils préparèrent un havresac, fourrant à l'intérieur une hache, deux gobelets, des couvertures de laine, des vêtements de rechange ainsi que la majeure partie des biens qu'ils venaient d'acheter, sans oublier un petit sac contenant de l'argent.

Les préparatifs furent rapidement complétés. Les deux hommes arpentaient la pièce de long en large tandis que les autres détenus les interpellaient, leur prodiguant des encouragements et leur donnant l'accolade. À l'occasion, l'un d'eux sortait pour vérifier la direction du vent. Les mousquetaires de la Galicie étaient sur les dents : ce soir-là, ils allaient s'évader.

La sirène annonçant le couvre-feu retentit. De par toutes les baraques, on éteignit. Tout comme les autres, les deux acolytes s'étendirent alors sur leurs lits, rongeant leur frein. Dehors, le froid était mordant malgré la saison. Aussi, les candidats à l'évasion s'étaient-ils vêtus chaudement, leur calotte plate bien enfoncée sur la tête. Il ne leur restait plus longtemps à patienter avant de goûter à la liberté, mais pour eux, cette attente était un vrai supplice. N'y tenant plus, Gregoraszczuk se leva et tira du dessous de son lit le sac de toile et deux longs bâtons qu'il apporta près de la sortie. Par la fenêtre, il guettait l'horizon qui se noircissait graduellement. Insomniaque lui aussi, Wenzel alla bientôt le rejoindre.

– C'est le temps?
– Attendons encore un peu. Cela ne sera plus bien long.

Spirit Lake fut bientôt plongé dans les ténèbres que seule la lumière des phares de surveillance perçait timidement. Le visage collé sur la petite vitre, Gregoraszczuk relevait patiemment le temps que prenait le soldat Maranda qui allait et venait à pas comptés le long de la voie ferrée. Havresac à l'épaule et stick dans la pogne, le prisonnier attendait le moment propice. Quand le garde disparut à l'ouest, il se glissa dehors entre deux cabanes, suivi de Wenzel. Ils longèrent alors le mur de la baraque jusqu'au coin où ils firent une pause en attendant que l'homme armé retourne vers l'est.

– Ça y est! Allons-y, chuchota le Galicien.
À plat ventre et comme des loups, ils rasèrent le sol jusqu'à la clôture de fer contre laquelle ils se tapirent. Gregoraszczuk, pince à la main, attaqua alors les mailles tandis que Wenzel gardait l'œil sur les mouvements de la sentinelle.

– Vas-y! Il est assez loin. Tu peux continuer.
Le vent complice charriait les clic! clic! à l'ouest alors que petit à petit l'ouverture se pratiquait. Finalement, Gregoraszczuk ramena vers l'intérieur la partie sectionnée du barbelé.

– C'est fait, enfin!
– Attends! Il revient.

Maranda venait de réapparaître, marchant toujours très lentement. Parvenu à la limite ouest du camp, il s'arrêta net. Ils virent le garde pencher la tête tandis que la flamme d'une allumette qu'il venait de frotter illumina pour un instant son visage. Le surveillant restait là, savourant sa cigarette, tandis que de son regard, il fixait un point droit devant lui. Pour les fuyards, les secondes qui passaient leur semblaient une éternité.

« Il ne va pas camper là, tout de même! » pensa Gregoraszczuk.

Heureusement pour les fugitifs, Alexandre Maranda n'avait pas la tête à l'ouvrage ce soir-là. Le ciel lui serait tombé dessus qu'il ne s'en serait pas aperçu. Récemment, il avait rencontré la jolie Maria Pelletier dans une soirée. Pour les deux, cela avait été le coup de foudre et depuis, la belle envahissait ses pensées. Demain serait jour de congé et il lui tardait d'aller la rejoindre au village d'Amos. Rêvassant toujours, il aspira une dernière fois la fumée de sa cigarette et d'une pichenette, fit voler son mégot au loin. Tranquillement, il retourna sur ses pas.

– C'est le temps! annonça Wenzel d'une voix basse. On peut passer.

Tandis que la sentinelle s'éloignait vers l'est, les Ukrainiens se faufilaient hors du camp, rampant vers la forêt plus loin devant, à l'occident. Soudain, une branche morte craqua. Les deux hommes figèrent. Retenant leur respiration, ils portèrent leur regard vers l'arrière. Ils ne voyaient plus le vigile. Ils lorgnèrent alors vers l'orée toute proche et, doucement, continuèrent à se traîner jusqu'à couvert. Pour eux, une longue marche allait commencer.

Jim Buckley fulminait. Deux prisonniers s'étaient évadés à la barbe de ses hommes et il n'avait pu rien retirer des autres internés, ces derniers ayant prétendu ne rien connaître du plan des fuyards.

– Je vais les poursuivre jusqu'aux enfers s'il le faut! gueulait-il.

L'ouverture dans la clôture fut découverte peu de temps après. Une patrouille le long de la voie ferrée permit de retrouver

des allumettes brûlées et des mégots à un mille à l'ouest. Le sergent-major en déduisit que les fugitifs avaient décampé vers La Sarre. L'alerte fut donnée partout dans la région, annonçant l'évasion… de dangereux criminels. Une heure plus tard, une draisine en provenance d'Amos arrivait au camp. Buckley s'installa devant, une carabine à la main tandis que deux soldats actionnaient de haut en bas le bras du petit wagon. La machine se mit en branle, gagnant progressivement une certaine vitesse tandis que le sous-officier criait :
— Allez! Grouillez-vous le cul!

La rigueur du climat abitibien s'était fait particulièrement sentir la nuit de ce samedi et le vent avait rendu plus sévère encore la menace du gel. Le dos courbé et la tête enfouie dans leur col relevé, les fugitifs avaient marché longtemps le long des rails, scrutant de leurs yeux mi-clos l'espace noir devant eux. Pour guider leurs pas, ils s'étaient servis de leur canne improvisée qu'ils faisaient glisser tout près, sur le sillon de fer. Le sommeil les gagnait peu à peu. Pour combattre cette torpeur, ils s'étaient efforcés de chanter, à rabâcher des airs de leur pays. Aussi, quand le soleil s'était levé derrière eux, les proscrits avaient-ils accueilli avec soulagement ce nouveau souffle tiède qui leur caressait la nuque. Pour eux, le temps était venu de prendre un peu de repos.
— On a bien parcouru une bonne vingtaine de milles, dit Gregoraszczuk, tout en écrasant de son pied ce qui restait de sa cigarette. Allons nous planquer dans le bois. Quelques heures de sommeil ne nous feront pas de tort.
Ils bifurquèrent vers la forêt, se frayant un chemin dans les hautes broussailles qui faisaient écran au grand bois. En s'enfonçant, ils avaient dû enjamber, contourner des corps morts avant de s'arrêter finalement dans une petite éclaircie. En peu de temps, des couvertures de laine avaient été étalées sur le sol tapissé de mousse encore givrée.

– Garde tes gants pour dormir, avait conseillé Gregoraszczuk. Et n'oublie pas de protéger ton visage avec ta couverture. Les moustiques sont voraces, le jour.

Après avoir englouti une tablette de chocolat et avoir fumé quelques cigarettes, les deux hommes étaient tombés dans les bras de Morphée tandis que le dieu Ré les réchauffait de ses rayons.

Sur la voie ferrée, la draisine avait pris sa vitesse de croisière. Il y avait maintenant plus de deux heures que Buckley était sur la trace des fuyards. Sur l'accotement, il avait vu tantôt des allumettes, tantôt des mégots. Plus rares étaient les emballages de tablettes de chocolat. Mais depuis quelque temps, il n'y avait plus rien.

– Les bâtards! Ils ont dû prendre le bois, maugréa-t-il.

Le sous-officier fit arrêter la petite machine. Il fixait intensément la lisière de la forêt. Il les savait là, pas loin. Mais où chercher dans cette immensité? Après un bref moment de réflexion, il se décida, contre toute attente, à faire marche arrière.

– Allez tranquillement! ordonna-t-il à ses hommes. Je veux vérifier quelque chose.

Les soldats se remirent à manier le balancier et la draisine repartit en direction de l'est, tandis que le sergent-major scrutait attentivement le sol. Il avait les yeux écarquillés et ses narines palpitaient de rage : retourner au camp sans les évadés serait une vraie disgrâce.

– Pas si vite! Ralentissez le train! hurlait-il constamment.

Puis, il finit par trouver ce qu'il cherchait : un premier mégot.

– Stop!

Buckley balaya les environs du regard afin de situer sa position de point en point. Au début, le paysage lui semblait anonyme. Ses yeux se portèrent alors vers le faîte des arbres. Il vit un immense sapin dont la cime ressemblait au tutu court d'une ballerine et, tout près, le chicot d'une épinette qui avait probablement été foudroyée par le tonnerre.

Déjà, des petites mouches noires venaient harceler les passagers du petit wagon qui se mirent à gesticuler tels des escrimeurs qui cherchent à pourfendre l'air de leurs sabres. Buckley avait le sentiment que ses souffre-douleur étaient proches et aurait aimé pouvoir les empoigner par la peau du cou. Mais l'endroit était insoutenable. « Si ces saletés nous sont insupportables, c'est pareil pour les *coin-coin*, pensa-t-il. Demain, ils voudront certainement se rendre et je serai là pour les accueillir. »

— Allez! Au bercail maintenant, lança-t-il.

Sous le soleil du midi, les moustiques bourdonnaient autour des fugitifs endormis. Par bataillons, ils les attaquaient dare-dare. Les couvertures qui les abritaient avaient glissé durant leur sommeil. À l'occasion, ils balayaient l'air de leurs bras, faisant reculer, l'espace d'un moment, les assaillants qui revenaient inlassablement à la charge. C'est finalement en aspirant quelques-uns de ses agresseurs que Gregoraszczuk finit par se réveiller en se raclant la gorge et en crachant. Une douleur lui fit aussi porter la main derrière l'oreille : du sang. Il se frotta le cou : encore du sang. Il se leva d'un bond, enleva rapidement son manteau et le fit virevolter.

— Maudites mouches! Allez-vous-en!

Près de lui, Wenzel, le visage plein de petites boursouflures ensanglantées, en faisait maintenant autant.

— On ne peut pas rester ici. Il faut bouger.

— J'comprends donc! Ramassons nos affaires et fichons le camp.

Les couvertures et les manteaux furent vite enfouis dans le sac. Gregoraszczuk tendit ensuite une tablette de chocolat à l'autre.

— Tiens! Mets ça dans la poche de ta chemise. Veux-tu des cigarettes?

— Oui. Des allumettes aussi. Maudit que j'ai soif!

— Moi aussi. On trouvera bien un ruisseau ou une source en chemin. On en profitera pour se rafraîchir le visage.

Les deux hommes retournèrent vers la voie ferrée. Ils venaient tout juste de traverser le fourré et se préparaient à sauter sur l'accotement quand Wenzel retint son acolyte par le bras.

– Attends! Regarde là-bas!

Du doigt, il montra l'est. Au loin, une draisine s'éloignait. À la manière indienne, Gregoraszczuk porta la main au front pour mieux distinguer les occupants de la machine.

– Des militaires! Ce doit être ce fou de Buckley.

– Ouf! On l'a échappé belle.

– Au moins, on va avoir la paix pour le reste de la journée. Mais il ne faudrait pas traîner. Ce gars-là ne laissera pas tomber aussi facilement.

Les évadés attendirent que le petit véhicule disparaisse à l'horizon avant de reprendre leur marche forcée le long du chemin de fer, tout en prenant leur ration de calories.

Plus tenaces que les soldats, les moustiques avaient continué à poursuivre les deux fuyards, forçant ces derniers à fumer cigarette après cigarette et à agiter continuellement les bras. On aurait dit des chefs d'orchestre qui battaient la mesure d'un air endiablé. Et le soleil tapait dur sur les marcheurs qui furent vite en sueur. Le liquide salé dégoulinait, envahissait les sourcils et les cils pour ensuite leur brûler les yeux. Leurs lèvres devinrent sèches. Assoiffés, ils haletaient. L'odeur de la créosote leur montait au nez. Instinctivement, ils tendaient l'oreille dans l'espoir de déceler un bruit d'eau. La faim les tiraillait jusque dans leurs tripes, mais les vivres étant limités, ils se devaient de résister. Ils en arrivaient presque à regretter le camp de concentration. Seul le désir de survivre les faisait avancer.

Le soleil s'approchait de l'horizon à mesure que leurs pas devenaient de plus en plus lents. Exténué, Gregoraszczuk finit par trébucher. Il resta là, agenouillé, le bras agrippé à son bâton. Frank Wenzel se laissa tomber à son côté.

– On va crever si on ne trouve pas un point d'eau, dit-il d'une voix rauque.

Gregoraszczuk le regarda de ses yeux devenus hagards, puis hocha la tête.

– Non! on ne mourra pas!

Il posa le sac de toile à terre et l'ouvrit pour en sortir les deux gobelets. Il en présenta un à Wenzel et garda l'autre.

– Tu es devenu fou! Que fais-tu?

– Tu n'es pas obligé de faire comme moi, répondit le Galicien. Mais si tu veux survivre…

L'homme se redressa, déboutonna sa braguette, sortit son sexe et urina dans le récipient. De sa main tremblante, il porta ensuite le liquide jaune à ses lèvres et avala d'une traite.

Au village de Spirit Lake, Anna Karpiuk, debout à la fenêtre, les bras croisés et le visage triste, était perdue dans ses pensées. Elle ne semblait rien voir de la lumière jaune du soleil qui arrivait jusqu'à elle. Elle songeait à ce frère et à cet ami qu'elle ne reverrait sans doute jamais plus. La jeune femme se remémorait ce dernier dimanche où Frank et Iwan étaient allés les visiter.

– C'est décidé! Nous partons samedi prochain, avait annoncé Gregoraszczuk.

La nouvelle n'avait pas surpris les Karpiuk. Ils s'y attendaient même : depuis le temps que ces joyeux lurons en parlaient! Ce jour-là, ils avaient apporté avec eux deux bouteilles de vin blanc. Ils avaient bu. Ils avaient chanté. Puis, il y avait eu les adieux. Anna avait fondu en larmes en étreignant son frère.

– Fais attention à toi, mon grand, lui avait-elle dit entre deux sanglots.

– T'en fais pas, petite sœur. Nous réussirons.

C'est le cœur serré qu'elle les avait regardés s'éloigner tandis que, derrière elle, son mari posait tendrement une main sur son épaule et saluait ses amis de l'autre.

Un vol d'hirondelles gazouillantes passa devant le carreau et tira Anna de ses pensées. Elle porta alors les yeux vers l'horizon. Elle les savait par là, quelque part.

— Où que vous soyez rendus, que Dieu vous soit en aide, murmura-t-elle.

Frank Wenzel avait bien ri de son copain : peu de temps après qu'il eut avalé son urine, ils étaient tombés sur un lac à un endroit nommé Privat. Ils y avaient d'abord piqué une tête pour s'y abreuver. Puis, nus comme des vers, ils avaient sauté à l'eau et avaient joué comme des enfants en s'éclaboussant joyeusement.

De retour sur la rive, ils s'étaient enveloppés de leurs couvertures grises et, assis à la manière amérindienne, ils avaient fumé quelques cigarettes tout en admirant un huard qui planait au-dessus de l'onde de cristal.

— Faudrait pas s'attarder ! lâcha Gregoraszczuk. Il nous faut atteindre La Sarre à la faveur de la nuit si on ne veut pas se faire repérer là-bas. On se reposera après.

— On va quand même prendre le temps de manger ! rétorqua Wenzel.

— Voyons ! On peut faire ça en route.

— Ouais... Bon. Si tu veux !

Gregoraszczuk fouilla dans son havresac et en sortit des tablettes.

— Après celles-ci, il n'en restera plus que deux. Il faudrait les garder pour demain matin. Heureusement, nous serons rendus près de notre but.

Ils se rhabillèrent et reprirent leur marche tout en croquant dans le sempiternel chocolat.

Depuis longtemps, le soleil s'était couché et avait laissé la place à l'astre de nuit. L'air était d'un froid léger et la brise caressait le visage des aventuriers qui allaient d'un bon pas. Arrivés à

La Sarre, ils trouvèrent le village endormi. Seule la fumée s'échappant des cheminées de tôle des petites cabanes en bois rond qu'ils voyaient le long de la voie ferrée témoignait de la vie dans cette bourgade qui paraissait fantomatique à la lueur de la lune. Ils traversèrent l'endroit et se réfugièrent dans la forêt voisine. Ils firent un petit feu et s'endormirent.

Chapitre IX

Méprise

Le lundi, 7 juin 1915

Dᴇʙᴏᴜᴛ devant le poste de garde de Spirit Lake, Jim Buckley sondait la température. Le nez sous le vent, il se remplissait les poumons de l'air matinal tout en portant son regard vers le haut. Seuls quelques nuages d'un blanc immaculé flottaient dans le ciel azuré tandis qu'à l'orient, le soleil apparaissait dans toute sa splendeur. « Un temps idéal pour la chasse aux *coin-coin* se dit le sous-officier. S'il le faut, cette fois, nous nous rendrons jusqu'à La Sarre. »

Le sergent-major avait tout prévu. Trois cantines remplies de vivres avaient été chargées sur la draisine immobilisée devant lui. Il avait aussi vérifié l'horaire des trains : la voie ferrée était libre.

Deux soldats arrivèrent bientôt au pas de course et montèrent sur le petit wagon. Lunette d'approche au cou et carabine en main, Buckley s'installa à l'avant en disant simplement :

– *Go!*

Les deux opérateurs firent démarrer la machine à coups de bras. La poursuite reprenait.

Le soleil s'était campé en plein milieu du firmament quand les deux fugitifs, harcelés par un essaim de moustiques, se décidèrent à lever le camp. Ils avalèrent leurs dernières tablettes de chocolat et reprirent leur périple, sac au dos et bâton à la main. Ils avaient les traits tirés et la barbe de trois jours qui envahissait leurs visages leur donnait l'aspect d'oiseaux de mauvais augure.

– Nous en avons que pour quelque temps avant de croiser la rivière White Fish, annonça Gregoraszczuk. Les Zimmerman sont juste de l'autre côté.

Frank Wenzel sourit.

– Enfin! Ce sera pas trop tôt.

La draisine transportant Jim Buckley entrait à La Sarre. Le sergent-major décida de faire le tour du village, questionnant tout un chacun.

– Avez-vous vu deux étrangers?

Cent fois, il posait la même question. Cent fois, il recevait la même réponse:

– Non!

La rivière était là devant eux, tourbillonnant et glissant sur les têtes des roches polies qui émergeaient. Bras dessus bras dessous, Gregoraszczuk et Wenzel dansaient en tournoyant comme des cosaques sur le remblai de la voie ferrée.

– Hourra! Hourra! criaient-ils. Nous sommes arrivés!

D'un pas pressé, ils traversèrent le pont de fer. Plus loin devant, ils virent ensuite une première cabane en bois rond. Sur le côté, se trouvait une corde à linge avec des couvertures grises et un corset accrochés dessus.

– Regarde! C'est le code convenu.

Wenzel était hésitant.

– Hum... On t'avait pas parlé d'un seul corset?

Impatient, Gregoraszczuk darda son copain d'un regard aigu.

– Et alors ? Il est là, non ?

– Oui, mais les couvertures…

Le Galicien lui avait coupé la parole.

– Tu t'inquiètes pour des riens. Ils les ont probablement rajoutées juste comme ça. Et puis, passons par-derrière le fourré pour surveiller l'endroit quelque temps. On verra bien !

De leur cache, ils remarquèrent bientôt un homme sortir de la baraque. Il était grand et avait les cheveux blonds.

– Le vrai type germanique. C'est sûrement un des Zimmerman. Allons-y !

– Attends ! Je ne sais pas… Quelque chose me dit que…

Gregoraszczuk haussa les épaules tout en soupirant. Le scepticisme de Wenzel l'irritait au plus haut point. Aussi, c'est sur un ton sec qu'il lâcha :

– Franchement ! Fais ce que tu veux. Moi, j'y vais.

Il sortit du bois d'un bond et s'élança en gesticulant et en criant :

– Eh là-bas ! C'est nous ! C'est Pawel qui nous envoie ! Nous sommes là !

Wenzel vit le colon fixer son camarade pour ensuite entrer précipitamment dans sa cabane. De son côté, le Galicien, convaincu de se trouver devant des amis, continuait à avancer en courant, se faisant aller les bras dans les airs et s'époumonant.

– C'est nous ! C'est nous !

À sa grande surprise, l'homme qui réapparut sur le portique, était armé d'une carabine. Avant même que le fugitif puisse faire un geste, l'individu épaula et tira deux coups. Gregoraszczuk s'écroula, le thorax perforé. Son corps se convulsa un bref instant, puis il rendit l'âme.

Wenzel avait tressailli, ressentant dans son propre corps le choc des projectiles qui venaient de faucher son camarade. « Iwan ! Pourquoi ? Pourquoi ne m'as-tu donc pas écouté ? » D'abord paralysé de frayeur, il se mit ensuite à trembler de tous ses membres. Couché à plat ventre, la tête entre les mains, il serrait les dents pour réprimer un cri d'horreur.

Au même moment, un peu plus loin, un homme travaillait au labour de sa terre. C'était un géant aux yeux bleus et au menton volontaire. Les rênes autour du cou, il marchait derrière la charrue attelée à une jument de trait tandis que le socle de l'instrument ouvrait le sol.

Quand les détonations retentirent, il s'arrêta net. La surprise se lisait sur son visage. Il fixa son regard vers l'est, d'où provenaient les coups de feu, puis, lâchant tout, se dirigea rapidement vers une maison de bois équarri située devant, près de la voie ferrée. Là aussi, il y avait une corde à linge sur laquelle avait été épinglé… un corset. Avant qu'il ait pu franchir le porche, une jeune femme était sortie.

— Karin! As-tu entendu ça?

— *Ja!*

— Je crois qu'un malheur est arrivé. Occupe-toi de dételer notre jument. Je vais chercher Lother chez lui.

— *Mein Gott!*

La draisine avait quitté La Sarre depuis peu et se dirigeait à nouveau vers l'ouest. Jim Buckley, les jambes bien écartées et la lunette d'approche accrochée aux yeux, trônait devant. Les militaires venaient de traverser la rivière quand ils entendirent le double « pan! » Éberlué, le sergent-major laissa tomber la longue-vue sur sa poitrine et se tourna vers les soldats qui s'exténuaient dans la manœuvre.

— Plus vite! Du nerf!

Ils accélérèrent la cadence. Le petit wagon allait à fond de train quand Buckley, regardant dans sa lunette d'approche, remarqua un homme qui portait une arme sous le bras devant une maisonnette en bois de sapin.

— Ralentissez!

La machine modéra. Elle n'était pas complètement arrêtée que Buckley sauta à terre pour se diriger vers l'homme. En approchant, il vit un corps gisant dans une mare de sang. Il reconnut Gregoraszczuk.

Le colon s'était identifié : Jos Cyr. Il avait entendu parler de ces dangereux criminels qui s'étaient évadés de Spirit Lake.

— Quand j'ai vu cet énergumène au langage étrange venir vers moi, les mains dans les airs, j'ai pas pris de chance, expliqua-t-il.

— Avez-vous aperçu quelqu'un d'autre avec lui? demanda Buckley.

— Non. Il était seul.

— D'où venait-il?

— Par là! répondit Cyr en pointant du doigt le fourré de l'autre côté de la voie ferrée.

Dans la forêt, Frantz et Lother Zimmerman avaient marché aussi vite qu'ils le pouvaient en direction de la propriété de leur voisin. Mais rendus à la lisière, ils durent s'arrêter : devant eux, des militaires transportaient à bout de bras le corps ensanglanté d'un homme pour ensuite le laisser tomber sur le plancher d'une draisine.

— Regarde la corde à linge! lança Lother.

— Oui, répondit l'autre. J'ai vu. Ça les a sûrement trompés.

— C'est vraiment pas de chance.

Les soldats s'étaient mis à chercher dans le bois au sud de la voie ferrée, en criant le nom de Wenzel.

— Ne restons pas ici. On ne peut rien faire pour l'instant, chuchota Lother.

— Attendons encore un peu, histoire de voir ce qui va arriver.

— Si tu veux, Frantz. Mais s'ils rappliquent par ici, il faudra déguerpir.

Les Allemands n'eurent pas longtemps à attendre.

— Je le vois!

Jim Buckley s'était précipité devant.

— Où ça?

— Là!

Du bout de la carabine, son subalterne montrait un endroit dans les broussailles. Quand le sergent-major arriva près de lui, Frank Wenzel, tapis au sol, le visage dans les mains, était toujours tremblant.

– Debout! ordonna Buckley.

Prostré qu'il était, l'Ukrainien ne pouvait bouger. Le militaire lui donna alors des coups de pieds au flanc. En vain. Finalement, il l'empoigna solidement par le col du cou et le tira de là.

– Allez! Hop! Maudit *coin-coin*!

Wenzel ne sentait plus ses jambes et trébuchait à chaque pas. Une poigne dans le dos, Buckley le conduisit jusqu'au petit wagon où il lui fit signe de monter. Le havresac fut ensuite fouillé. L'argent apporté par les fugitifs fut saisi.

Debout sur la draisine, Wenzel posa un bref regard sur le visage souillé de Gregoraszczuk. Il s'en détourna aussi vite, eut un haut-le-cœur, tomba sur ses genoux et, se tenant l'estomac à deux mains, vomit un liquide sans nom.

Pendant que les soldats faisaient la garde, le sergent-major était allé retrouver Cyr chez lui. Il griffonna la version du colon sur une feuille de papier. Plus tard, il allait joindre ce document à son dossier. Dix minutes plus tard, les militaires repartaient vers l'est avec un prisonnier et un cadavre. Les Zimmerman, la mine basse, rebroussaient chemin à travers bois. Pour eux, la déception était grande.

À La Sarre, les militaires avaient enchaîné Wenzel dans une chambre du seul hôtel de la place et faisaient la fête dans la grande salle. La nouvelle s'était répandue comme une traînée de poudre : un prisonnier de guerre avait été abattu.

Le corps d'Iwan Gregoraszczuk gisait toujours sur le petit wagon devant la gare. Il avait été laissé sous la surveillance de deux employés du chemin de fer. Les curieux arrivaient de partout dans le village pour voir ce prétendu ennemi. Quelqu'un avait sorti son *Kodak*. On se faisait prendre en photo debout derrière le cadavre.

Pour ces gens, la dépouille du Galicien de vingt-quatre ans n'était rien d'autre qu'un trophée de chasse.

Pendant la nuit, un train en provenance de l'Ontario avait fait halte à La Sarre. Délaissant la draisine à bras, les militaires et leur prisonnier y étaient montés tandis que le corps d'Iwan Gregoraszczuk, dans une boîte faite de planches d'épinette, avait été placé dans un wagon de marchandise. Ainsi, ils arrivèrent à Spirit Lake à la pointe du jour. Les soldats descendirent alors le cercueil pour le poser sur le quai devant le poste de garde. Wenzel, qui souffrait d'un choc nerveux, fut ensuite conduit au dispensaire.

— Il est complètement siphonné, dit son gardien à l'infirmier en devoir.

Le sergent-major Buckley venait de faire son rapport au lieutenant Gilmour. Ce dernier était atterré.

— Il est regrettable que cette affaire se soit terminée de façon si tragique. Il faut absolument dissuader ces pauvres infortunés de s'évader. Je crois qu'il est opportun de les sensibiliser aux dangers qui les guettent au dehors. Voici donc ce que nous allons faire...

Dès l'avant-midi, les prisonniers de la baraque numéro 1 furent mis à contribution. Stefan Galan, qui était aux travaux forcés, se retrouva, pelle ronde en main, à creuser une fosse au petit cimetière. Mike Zrobok et Absenky Pawliuk furent conduits au poste de garde pour y prendre le cercueil de Gregoraszczuk et le porter à bout de bras jusqu'au champ de leurs morts situé à un demi-mille plus loin. Pendant ce temps, Joseph Nordman, accompagné d'un soldat, se rendait au village pour annoncer l'enterrement du Galicien qui aurait lieu le jour même.

— Les proches de la personne décédée pourront y assister, avait dit l'interprète.

Après le dîner, les anciens compagnons du disparu avaient été réunis dans la grande cour. Frank Wenzel, à qui on avait administré des calmants, était aussi du nombre. Il avait le teint blême, la barbe longue et le regard vide. Les autres l'observaient comme une bête curieuse, s'imaginant la grande misère que lui et Gregoraszczuk avaient vécue.

La longue file de prisonniers se mit ensuite en branle, silencieuse. L'air grave, les inséparables Lazare et Twardy se trouvaient parmi les soldats de l'escorte. Quand le cortège arriva au petit cimetière, les regards se posèrent tout de suite sur le cercueil posé devant la terre éventrée. Le croque-mort d'un jour, Stefan Galan, venait de terminer sa besogne. Il avait les joues creuses et les yeux rougis mais, orgueilleux comme un coq, il se tenait le corps droit. Dans son regard, brillait une lueur de témérité.

Les prisonniers se déployèrent autour de la fosse. Ils furent bientôt rejoints par un groupe de femmes et d'hommes venant du village. Parmi eux, Mirko et Anna Karpiuk. Lorsqu'elle vit son frère, cette dernière s'élança vers lui à bras ouverts, suivie de son mari.

– Frank! Frank! Dieu merci! tu es là! s'exclamait-elle tout en le touchant, le tâtant, comme si elle ne pouvait le croire vivant.

Enlacés, ils pleuraient pendant que l'on procédait à l'inhumation de leur ami. Le capitaine de baraque Jan Drobei fit une courte prière. Il prit ensuite une poignée de terre et la jeta sur la tombe. Avec sa pelle, le fossoyeur Stefan Galan fit le reste.

La filière Zimmerman cessa momentanément ses activités. D'autres prisonniers allaient quand même s'évader pendant l'été. Mais sans aide extérieure, ils se verraient, à un moment ou l'autre, obligés de retourner au camp. La nature sauvage du territoire abitibien semait trop d'embûches sur les pas de ces malheureux. Seule consolation : la convention de La Haye interdisait de punir les fugitifs qui se rendaient ou qui étaient repris.

Chapitre X

Contradictions

Consulat général américain
Montréal, Québec.
Le mercredi, 23 juin 1915

L E CONSUL GÉNÉRAL Harrison Pradley était exaspéré. D'une part, les plaintes ne cessaient d'affluer : sévices que les prisonniers subissaient en Abitibi, travaux forcés, nourriture infecte. Par ailleurs, il y avait ce rapport du Révérend Ambroziy Redkevych qu'il venait de recevoir : le prêtre ruthénien n'avait que des éloges à faire sur Spirit Lake.

Redkevych avait visité certains camps de concentration à la demande du gouvernement fédéral. Après Brandon et Kapuskasing, il s'était retrouvé à Spirit Lake le 20 juin 1915. Ce dimanche-là, il avait célébré la messe et avait entendu des confessions.

Faut-il conclure que le digne prêtre avait reçu, lui aussi, ses trente deniers?

Dans la missive adressée au consul général, il exprimait, au nom des prisonniers, de cordiaux remerciements au gouvernement et aux autorités militaires en général pour le soin qu'ils mettaient à assurer leur bien-être. Il y précisait que la nourriture était bonne et que les camps étaient spacieux et bien ventilés. Il était particulièrement reconnaissant envers les officiers pour la manière dont ils traitaient les prisonniers.

« Hum… Il va falloir que je mette les pendules à l'heure, se disait Pradley. Il y a quelque chose qui cloche dans tout ça. »

Le soleil refroidi envoyait un rayon monotone sur l'Abitibi et les nuages onduleux fuyaient comme des illusions sous la force de la bise de l'automne qui commençait.

Sur la Transcontinentale, un train filait à toute allure en direction de l'ouest. Dans une des voitures, un homme pelé et courtaud, aux sourcils broussailleux et portant monocle, lisait la une d'un journal : « La Bulgarie maintenant en guerre aux côtés des empires centraux ». L'individu, tiré à quatre épingles, parcourait le texte en allongeant les lèvres. Sa lecture terminée, il replia la gazette et la posa sur la banquette. Il ajusta son monocle et posa son regard sur le paysage. « Que de vastes étendues boisées ! Que c'est long ! Que c'est loin ! soupira-t-il. Il me semble aller au bout du monde. »

À Spirit Lake, une haie de soldats commandés par un sergent avait pris position sur le quai. Devant le poste de garde, le colonel Rodden attendait le train avec confiance, le capitaine Labelle à ses côtés. Son supérieur, le général Otter, l'avait déjà avisé de l'arrivée imminente du vice-consul américain Gaylord Marsh. Ce dernier avait pour mission d'inspecter les camps de Spirit Lake et de Kapuskasing. Cette affaire pesait à Rodden mais, en vieux renard, il s'était bien préparé. Il avait demandé à son chef cuisinier, Pascal Fortier, de se dépasser dans la préparation des repas et de sortir son meilleur vin.

– C'est un personnage important, lui avait-il dit. Et le compte rendu qu'il fera de sa tournée doit être positif dans tous les sens. Il nous faut l'éblouir. Comprenez-vous ?

– Certainement.

Toujours dans le but de se préparer à la visite consulaire, Rodden s'était aussi assuré qu'aucun prisonnier ne soit détenu au poste de garde. Les sujets les plus rébarbatifs seraient envoyés au lac Malartic où on creusait un canal en direction du lac Preissac. Buckley avait fait le tour des baraques. Rien ne clochait de ce côté-là. La visite? Le vieil officier s'en chargerait personnellement. « Cet empêcheur d'emprisonner en rond va partir d'ici avec l'impression qu'il vient de quitter une colonie de vacances », se dit-il. Le service de l'intendance qui, depuis quelque temps, faisait affaire avec un boucher particulier, avait aussi reçu l'ordre de renouer avec les fournisseurs réguliers d'Amos.

Tandis que la locomotive approchait, sifflant et crachant une fumée noire comme du charbon, le colonel rappelait ses directives à son adjoint.

– Je me fie sur vous, capitaine. Tant que je serai avec ce Yankee, vous vous occuperez des affaires courantes. Je ne veux pas de bévue. C'est clair?

– Oui, mon colonel.

Le train entrait maintenant en gare, enveloppé de la vapeur qu'il laissait échapper. Ils virent bientôt apparaître un petit homme trapu portant un chapeau rond. Habillé de vêtements taillés sur mesure, l'étranger transportait comme seul bagage une valise aux couleurs pâles.

– Ça doit être lui! lâcha Labelle.

Tandis que la garde d'honneur se mettait au garde-à-vous, les officiers se portèrent devant le nouveau venu.

– Bien le bonjour, monsieur le vice-consul, dit le colonel.

– Commandant Rodden, je présume.

Après les salutations et les présentations, le capitaine Labelle débarrassa le visiteur de son bagage.

– Permettez-moi de m'occuper de ceci. Je le ferai porter à votre chambre.

– Merci. Vous êtes bien aimable.

La malle se retrouva vite entre les mains d'un gardien en poste.

— Je suppose que ce long voyage vous a éreinté. Que diriez-vous d'un rafraîchissement ? proposa Rodden.

Marsh, qui venait de replacer le monocle, acquiesça de la tête puis joignit la parole au geste.

— Ce n'est pas de refus, mon cher commandant.

— Venez. Vous êtes mon invité.

Le capitaine Labelle s'était excusé et avait pris congé. Le colonel fit traverser le camp au vice-consul et en profita pour préciser la nature des différentes constructions qui constituaient le baraquement.

— Ici, vous voyez l'entrepôt, le service d'intendance et les bureaux. À côté, c'est le magasin, les cuisines, puis la boulangerie. Les cinq cabanes que vous voyez aux extrémités est et ouest abritent les prisonniers. Enfin, les deux baraques, là-bas, servent de casernes à nos soldats. Le dispensaire se trouve un peu plus loin.

— *Well!* vous avez combien de captifs en tout ?

— Exactement mille cent trente-huit, monsieur, dont soixante-sept couples et cent quatorze enfants dans un petit village plus à l'est.

— Intéressant ! Et de quelle nationalité sont-ils exactement ?

— Ils sont tous Austro-Hongrois, sauf trois Turcs.

— Aucun Allemand ?

— Aucun.

Ils empruntèrent ensuite un petit sentier menant à un plateau rocheux qui s'élevait devant le lac. Il y avait là un bungalow, une grange convertie en gymnase et enfin, le mess des officiers.

— Nous sommes arrivés. Entrez donc !

Rodden et Marsh reprirent leur conversation devant un scotch. De l'endroit où ils étaient, ils avaient une vue sur l'ensemble du site ainsi que sur le lac de l'Esprit, plus loin.

— Quel magnifique plan d'eau ! s'était exclamé le vice-consul.

— Oui. Et poissonneux en plus. Du doré surtout.

– Du doré ? J'aime !

– C'est ce que vous allez déguster ce midi : aux amandes, avec un bon vin blanc.

– Vous me donnez l'eau à la bouche, commandant. Mais revenons à nos moutons. Comme vous le savez sans doute, le consul général Pradley m'a investi d'une mission particulière. Je suis ici pour m'enquérir des allégations de mauvais traitements qu'auraient subis certains prisonniers. Je dois aussi faire un rapport sur les conditions générales qui prévalent au camp.

– Je comprends cela. Aussi, les portes vous sont toutes grandes ouvertes. Vous constaterez par vous-même que ces allégations, comme vous dites, ne sont en fait que des mensonges propagés par des cancaniers. Bien sûr, il y a à l'occasion des indisciplinés qui doivent se faire redresser. Mais je peux vous assurer que tout se fait sans abus d'autorité. Ces ennemis sont soumis, ni plus, ni moins, aux mêmes règlements et aux mêmes lois que nos militaires.

– Je vois. Je vois.

– Un autre verre, monsieur le vice-consul ?

– *Why not?*

Dans son rapport remis au consul général Pradley à la mi-octobre, Marsh décrivit avec force détails l'organisation du camp de Spirit Lake ainsi que les conditions de vie des prisonniers.

Ils travaillent de 7 h 30 a.m. à 5 h 30 p.m., avec un arrêt d'une heure et demie pour le dîner. Ils s'occupent à l'abattage des arbres, au défrichage du terrain, à la construction de chemins, à l'érection de baraques ainsi qu'à la pose de drains et de conduites d'eau. D'autres sont affectés à la boulangerie, aux cuisines et aux différents ateliers.

Trois fois par semaine, il y a des classes du soir pour les intéressés. On y traite de la géographie et de l'agriculture, on y apprend la langue anglaise. Les autorités du camp ont aussi prévu ouvrir une école pour les enfants du village.

Des divertissements sont organisés pour les internés. Ainsi, dans leurs temps libres, ils peuvent jouer au base-ball ou au football dans la grande cour, au milieu du camp. Ils ont le loisir de pêcher ou de faire des randonnées en chaloupe sur le lac. Le dimanche, c'est une marche en groupe, suivie d'une visite au village.

Une messe est célébrée deux fois par mois dans la petite chapelle à l'est du camp.

La santé des prisonniers est excellente, les hivers longs et les étés courts offrant un climat très salutaire.

Les corps de deux jeunes enfants et celui d'une personne adulte reposent dans le petit cimetière de l'endroit. Ils sont morts de fièvre typhoïde, une maladie qu'ils avaient contractée avant leur arrivée au camp. Ce sont Iwan Bator, Carolka Manko et Karol Barontiecki.

En guise de conclusion, le vice-consul Gaylord Marsh écrivait :

Les conditions d'hygiène sont très bonnes. La nourriture est riche, abondante et salubre. Les baraques, quoique simples, sont confortables. Les prisonniers ne sont pas accablés de travail et sont bien considérés. Ils reçoivent tous les vêtements nécessaires. En dépit de leur liberté quelque peu restreinte, les internés sont visiblement heureux.

À la réception de ce document, le scepticisme du consul général Harrison Pradley avait fondu comme beurre au soleil d'août : ses protégés étaient bien traités dans les camps. Mais au même moment, dans les baraques de Spirit Lake, les prisonniers prenaient leur repas du bout des dents : le bœuf était avarié.

Le mois suivant, alors que le ciel était gris, les flocons de neige volaient à l'horizontale. Le blizzard avait envahi l'Abitibi, aplanissant les terrains vagues, formant des dunes là où le sol lui faisait barrière. Au chantier d'abattage de Spirit Lake, le vent était glacial. Il fouettait et piquait le visage des prisonniers. Il cherchait à les engourdir pour mieux les habiter. Mais les bûcherons étaient vigilants. Au moindre signe, ils lâchaient leurs godendarts et leurs haches; ils se massaient la figure, se frictionnaient les mains, tapaient du pied. S'ils se sentaient trop pénétrés par l'ennemi, ils allaient le combattre par le feu, à côté des soldats. Plusieurs Ukrainiens toussaient, mais le rhume était chose courante en cette période de l'année. On ne s'en inquiétait donc pas. Seul le travail comptait.

Vers la fin de la journée, une longue file de prisonniers tirant des traîneaux remplis de bois de chauffage arriva au camp. Parmi eux, Oftude Boka, grippé et en proie à des maux de tête, voulut se rendre au dispensaire. Par signes, il se fit comprendre par le caporal Berger. Intransigeant, ce dernier refusa et rudoya durement l'Ukrainien.

— Maudit fainéant de *coin-coin*. Il n'est pas plus malade que mon cul! dit-il à un soldat tout près.

Mais lorsque Absenky Pawliuk se mit à cracher le sang...

Au dispensaire, le major William avait demandé que Pawliuk soit isolé dans une des chambres.

— C'est grave! avait-il déclaré au sergent infirmier. Nous avons affaire à la tuberculose. C'est contagieux.

Ce fut le branle-bas. Les employés du dispensaire se mirent à la recherche des tousseurs. Tous les prisonniers du camp et les familles du village furent visités. On leur distribuait des mouchoirs et on les informait des précautions à prendre.

— Ne toussez pas, ne crachez pas ailleurs que dans ces linges.

Les jours suivants, d'autres prisonniers furent mis sous observation. Les infirmiers cherchaient systématiquement la fièvre. On isolait le patient dès qu'une température de 100,4 °F était constatée. Le docteur William fut bientôt débordé : c'était l'épidémie.

Les autorités décidèrent alors de construire une annexe au dispensaire. Maftey Rotari y avait été affecté avec d'autres menuisiers. Supervisés par Paul St-Denis, ils y travaillaient d'arrache-pied.

Le colonel Rodden, pressé par le major William, avait demandé la présence d'un deuxième médecin au camp de Spirit Lake et le général Otter lui avait envoyé le major J.E. Hébert Therrien.

Complaisant et de physique agréable, le nouveau médecin représentait l'antithèse de son épouse Marie, une femme chétive et d'un caractère acariâtre. Ils venaient tout juste d'emménager dans une petite cabane au bord du lac que déjà elle lui faisait une scène.

— Ça pas d'allure de vivre dans un endroit pareil ! Pourquoi tu laisses pas l'armée ? Tu pourrais travailler à l'hôpital de Trois-Rivières. On te l'a déjà offert. Là-bas, on serait parmi la civilisation et surtout près des nôtres. Mais l'Abitibi…

Marie Therrien, pivotant sur ses talons, s'était arrêtée net. Le corps bien droit, les bras repliés sur sa poitrine et la tête baissée, elle faisait la moue. Son mari s'approcha et, posant doucement les mains sur ses épaules…

— Chérie, on a besoin de moi ici…

Elle se braqua.

— Des malades, il y en a partout ! T'es pas obligé de t'exiler dans un trou perdu pareil pour pratiquer.

— Mais ce n'est que temporaire…

Elle se retourna et gagna la chambre pour se jeter de tout son long sur le lit en pleurnichant. Le major Therrien lança un coup d'œil vers la petite pièce, dodelina de la tête, revêtit son long manteau, ajusta son képi et sortit.

Au dispensaire, les majors William et Therrien avaient fait le point sur l'état des prisonniers. Ils étaient d'accord. La rigueur du climat abitibien, la détresse morale, la sous-alimentation, le surmenage physique : tous les éléments étaient présents pour favoriser la propagation de la maladie.

— Autant dire qu'il faut fermer Spirit Lake, lâcha Therrien.

— Oubliez ça !

— Alors, il ne reste malheureusement que l'isolement des tuberculeux et la cure de repos.

Le mois de novembre tirait à sa fin quand l'annexe au dispensaire fut complétée. Les tuberculeux y avaient été transférés. Couchés sur des grabats, on les avait alignés par rangées de deux dans la grande pièce. De leur poste de garde, les infirmiers entendaient continuellement les gémissements, les quintes et le bruit des expectorations. Il fallait avoir le cœur solide et une grande force de caractère pour travailler là : les odeurs que dégageaient la sueur, les vomissures et la diarrhée des patients étaient insoutenables.

Parmi les grabataires, Absenky Pawliuk sentait maintenant le sapin. Amaigri et le teint bleuâtre, il suait de tout son corps. Sa toux était incessante. Il suffoquait, crachant ses poumons par morceaux verdâtres et visqueux. Il râla et chercha désespérément son souffle, mais ne le trouva plus. Il entra dans un long corridor blanc, attiré par une lumière indescriptible. Le calvaire de la première victime de l'épidémie était terminé.

Sa couche fut désinfectée et un autre condamné prit aussitôt la place dans le couloir de la mort.

Chapitre XI

Le Noël ukrainien

L'ARRIVÉE de janvier 1916 voulait dire que partout au Canada, des milliers d'Ukrainiens passeraient leur Noël confinés dans des camps de concentration. Aussi, les journaux *Ukrainskyi Holos* et *Kanadyiskyi Rusyn* encouragèrent vivement leurs lecteurs à ne pas oublier ces infortunés que le mauvais sort avait frappés et à participer à une levée de fonds qui permettrait à tous ces prisonniers de recevoir un cadeau de Noël : des fruits et du tabac. Grâce à cette campagne, des colis furent reçus à Brandon, Petawawa, Kapuskasing et Spirit Lake.

À ce dernier endroit, le capitaine de baraque Jan Drobei, après l'appel nominal du matin, avait sollicité un entretien avec le lieutenant Gilmour.

— Que lui veut ce *coin-coin*? avait demandé Buckley.

L'interprète vérifia puis traduisit :

— Chez les Ukrainiens, Noël se célèbre le 6 janvier. C'est jeudi prochain. Ce prisonnier voudrait que ses compatriotes soient dispensés de travail ce jour-là. Il demande aussi qu'une messe soit célébrée à la petite chapelle par le prêtre d'Amos.

Buckley pouffa, ironique :

– C'est tout ?

– Non. Il réclame aussi que ceux du camp puissent aller visiter les leurs, au village.

Le sergent-major allait refuser mais se ravisa. « Gilmour va probablement se laisser prendre. Donnons-lui de la corde ! »

– D'accord ! Vous l'accompagnerez, monsieur Nordman.

Le jeune lieutenant avait prêté une oreille favorable à la requête du prisonnier. Mais il était conscient qu'il devait en référer à son supérieur.

– Personnellement, je n'y vois pas d'inconvénients. Dites à monsieur Drobei que je transmettrai le tout au capitaine Labelle.

Finalement, ce fut le colonel Rodden qui trancha :

– Non et non ! Où se croient-ils donc ces abrutis ? Ils n'ont qu'à fêter pendant leur souper.

Profitant de l'appel du soir, Joseph Nordman avait transmis la décision finale au capitaine de baraque. Drobei avait simplement baissé la tête. Les autres prisonniers, qui avaient entendu, étaient restés pantois. Buckley, lui, était aux anges. Il jouissait à voir le visage triste de ceux qu'il considérait comme des dégénérés.

Six mois s'étaient écoulés depuis le jour où Frank Wenzel avait tenté de s'évader avec Gregoraszczuk. Son regard, devenu dur, témoignait des souffrances qu'il avait vécues lors de cette triste expérience. Après avoir récupéré, il s'était efforcé de prendre contact avec ce Pawel dont son ami lui avait si souvent parlé. Il avait rencontré des gens qui portaient ce prénom, mais aucun ne semblait être celui qu'il cherchait. « Un nom de code, avait-il fini par conclure. Mieux vaut abandonner. » Wenzel avait aussi repris ses activités au sein de la bande de Julian Zator. Le soldat-gardien de la cuisine avait été acheté et le trafic de vin de patate allait bon train.

Responsable de la distribution, Wenzel était particulièrement occupé en ce début de janvier 1916. Le réseau s'était étendu aux cinq premières baraques et la demande affluait. Un soir sans lune, alors que la cour était déserte, il allait livrer deux litres à la cabane numéro 3 quand il entendit un murmure derrière lui.

— Frank!

Le contrebandier allait pivoter sur lui-même, mais l'autre lâcha d'un ton cassant :

— Ne te retourne pas. C'est moi, Pawel! Tu ne dois pas me voir.

Wenzel avait figé. Cette voix, il la connaissait, mais il ne pouvait y mettre un visage. Tandis qu'il restait immobile, l'inconnu lançait comme une flèche :

— Gregoraszczuk était mon ami. Je suis désolé pour ce qui est arrivé. Malheureusement, vous vous étiez trompés de cabane. C'est à la maison suivante que se trouvaient les Zimmerman. Ils y sont toujours. J'ai repris contact avec eux. L'été prochain, dès qu'un groupe sera prêt pour s'évader, tu n'auras qu'à m'en aviser.

— Et comment ferais-je? souffla le prisonnier qui roulait les yeux, comme s'il cherchait son interlocuteur dans un des angles.

— Dans la dernière cabine des toilettes, tu trouveras par terre une planchette déclouée. Dessous, il y a une boîte. Ce sera notre moyen de communiquer à l'avenir. Vérifie régulièrement. Il peut y avoir d'autres messages d'intérêt.

Plus rien. L'homme s'était tu.

— Pawel? Es-tu toujours là?

Pas de réponse. Wenzel risqua un œil derrière, mais l'inconnu s'était déjà évanoui dans la nuit. Un peu plus loin, un soldat faisait sa ronde habituelle. Craignant de se faire interpeller, Wenzel se dépêcha de faire ses livraisons.

Le Noël des Ukrainiens en fut un empreint de tristesse. Comme les autres jours, les prisonniers durent se défoncer à la besogne. Après le souper, certains, la larme à l'œil, lisaient la dernière lettre qu'ils avaient reçue de leurs proches. D'autres chantaient des cantiques, mais le cœur n'y était pas. Même le vin de patate leur semblait fade et les petits paquets qui avaient été distribués mettaient un baume bien léger dans leurs âmes meurtries.

Au village, Mirko Karpiuk veillait seul. Sa femme, Anna, enceinte de sept mois, s'était couchée tôt. Assis à la table de la cuisine, l'homme se parlait à voix haute, une bouteille de vin aux trois quarts vide entre les mains.

– Ce sera un garçon! Nous l'appellerons Iwan! Comme toi, mon ami mousquetaire.

Au même moment, chez les Bator, Antonia avait attendu ce jour pour annoncer une grande nouvelle à son mari.

– Nous allons avoir un autre enfant.

C'était le plus grand cadeau qu'on puisse offrir à Peter! La mort de son premier fils l'avait profondément ébranlé dans sa foi et ce renouveau de la vie lui redonnait espoir.

Pendant ce temps, dans la baraque numéro 1, Henry Romaniuk avait déballé son cadeau : un paquet de cigarettes, une pomme et une orange. Sur un bout de papier carré, l'inscription « Joyeux Noël ». Il y avait aussi un dessin représentant un petit enfant dans un berceau. La pensée de Romaniuk se porta alors vers sa filleule Anny. Il aurait tellement aimé pouvoir la serrer dans ses bras, l'embrasser. Elle était si proche et si inaccessible en même temps…

Plus loin, Frank Wenzel, attablé avec Jan Drobei, venait de lui révéler l'étrange conversation qu'il avait eue quelques jours plus tôt avec le nommé Pawel.

– Qu'en penses-tu, Jan?

– Selon moi, le seul fait qu'il connaisse l'existence des Zimmerman prouve bien qu'il est le contact qu'avait Gregoraszczuk. J'ai confiance.

Un beuglement retentit alors. Il était déjà neuf heures du soir. Pour les Ukrainiens, la fête était terminée. On éteignit. Demain serait un autre jour.

À la fin de janvier, les médecins avaient enrayé l'épidémie, mais la tuberculose avait eu le temps de prendre cinq vies et Jan Pabi, un enfant polonais malade, risquait de suivre. La Faucheuse avait aussi pris un visage différent. Le 24 du mois, lorsque le major Therrien revint chez lui exténué, il retrouva sa femme, Marie, allongée sur le plancher de la petite cuisine : le cœur avait flanché. En ce début de l'année 1916, ce fut avec amertume que l'officier quitta Spirit Lake pour aller inhumer son épouse aux Trois-Rivières.

Chapitre XII

Cigognes, canards et aiglons

Le mardi, 7 mars 1916

L E 7 MARS 1916 sera un des plus beaux jours qu'auront connu les prisonniers catholiques de Spirit Lake. La cigogne avait passé souvent et, en fin d'après-midi, le curé Viateur Dudemaine allait baptiser six bébés slaves. D'autres nourrissons seraient aussi baptisés en avril, mai et juin de la même année, mais jamais autant le même jour.

Au village, les mères avaient préparé leurs poupons et un cortège se dirigeait maintenant vers la petite chapelle. Là, des hommes du camp, venus assister à la cérémonie, attendaient gaiement. Parmi eux : Frank Wenzel. L'enfant Iwan Karpiuk allait être un de ces nouveaux chrétiens et il en serait le parrain. Aussi, quand il vit arriver Mirko et Anna Karpiuk, il alla les rejoindre avec empressement. Il embrassa sa sœur qui portait l'enfant dans ses bras, et il prit la menotte de son filleul.

— Toi! Tu seras notre D'Artagnan.

— Espèce de grand fou! répondit Anna. Allez, entrons, maintenant.

Wenzel prit son beau-frère à part :
– Dimanche, j'apporterai une bouteille pour fêter ça.
– Wow !
– Les gars ! Arrivez !
La chapelle était comble. Les heureux parents défilaient devant l'assemblée, tenant fièrement leur précieux trésor. À l'avant, le prêtre les avait reçus dans sa longue robe blanche. L'interprète Nordman était là lui aussi. Tandis qu'il informait l'homme de Dieu du prénom des petits, l'autre répétait en versant l'eau bénite :
– Je te baptise au nom du Père, du Fils et du Saint-Esprit.

Depuis l'ouverture de Spirit Lake, quarante-sept prisonniers avaient déjà tenté de s'en échapper. Aucun n'avait encore réussi : Gregoraszczuk avait été tué et les autres avaient été repris ou s'étaient livrés d'eux-mêmes. Mais il y avait toujours des candidats prêts à risquer le tout pour le tout. Aussi, au début du mois de juin 1916, le mystérieux Pawel s'étant rendu aux latrines, il découvrit un message dans la boîte dissimulée sous le plancher :

Trois canards s'envoleraient
Si le bon vent, ils avaient.
Vers le sud, ils partiraient.
Liberté, ils trouveraient.

L'homme pouffa de rire. « Décidément, il a de l'esprit ce Wenzel ! » Il chiffonna le bout de papier et l'envoya valser dans les toilettes. « À moi, maintenant ! »

Deux semaines s'étaient écoulées depuis que Frank Wenzel avait fait connaître à Pawel le projet d'évasion de trois des siens. Les candidats étaient bien préparés. La connaissance du terrain acquise par Wenzel les aiderait dans leur entreprise. Les Ukrainiens attendaient maintenant un signe de leur collaborateur anonyme qui confirmerait que les Zimmerman étaient informés de l'opération et qu'ils étaient prêts à recevoir les fuyards. Mais les conjurateurs devaient redoubler de prudence car il y avait de l'action au camp. Ce mois-là, un maraudeur s'était glissé dans les cuisines pour y dérober des vivres. Plus tôt, le mess des officiers avait brûlé sans que l'on puisse en déterminer la cause.

– C'est l'œuvre des *coin-coin*, affirmaient certains.
– Un problème de cheminée, disaient d'autres.

Depuis, Buckley et ses gardes étaient sur les dents. Pascal Fortier se faisait plus présent. La surveillance s'était resserrée, les déplacements davantage contrôlés. Le groupe de Zator dut cesser momentanément ses activités clandestines.

Maftey Rotari et les autres menuisiers étaient débordés. Ils s'affairaient à la reconstruction du bâtiment détruit et devaient aussi ériger une clôture de fer à l'intérieur du campement pour isoler les cabanes des prisonniers.

Wenzel, lui, se rendait aux latrines à tous les jours pour y vérifier le contenu de la boîte aux lettres. Rien, toujours rien. Alors qu'il commençait à douter de ce Pawel, il trouva enfin un message :

> *Le grand aigle plane au-dessus de son nid.*
> *Sous son aile, il prendra bientôt les petits.*
> *Ils arriveront du nord, le vent lui a dit.*
> *Que les aiglons s'envolent en catimini!*

Le prisonnier lut et relut la missive. Son cœur palpitait d'excitation. Sans plus attendre, il mit les alexandrins au fond de sa poche et se précipita voir Jan Drobei.

– Ça y est! Nous avons le OK!

Le soir suivant, trois ombres furtives quittaient le camp de Spirit Lake. Dès le lendemain, Jim Buckley reprenait la chasse à l'homme. La recherche dura trois jours. Chaque soir, le sergent-major revenait bredouille. Au quatrième matin, alors que le sous-officier persistait à vouloir continuer, le lieutenant Gilmour mit un holà.

— C'est terminé! Vous perdez votre temps. Ils sont déjà rendus loin.

— Mais mon lieutenant...

— Il n'y a pas de mais! C'est un ordre. La description des fugitifs a été transmise partout au pays. Ils vont certainement se faire intercepter un jour ou l'autre.

Buckley plia l'échine et prit congé en grommelant.

« *Shit!* On dirait qu'il est de leur côté, cet imbécile! »

Le 30 juin 1916, Frank Wenzel trouva un dernier billet dans la petite boîte :

> *Sous d'meilleurs cieux*
> *sont rendus ceux*
> *qui n'avaient d'yeux*
> *que pour d'autr'lieux.*

Chapitre XIII

L'apogée

Plus d'un an s'était écoulé depuis la visite du vice-consul Gaylord Marsh en Abitibi. Les camps de concentration de Valcartier et de Beauport avaient été fermés et les prisonniers étaient venus grossir les rangs à Spirit Lake. Depuis juin 1916, Rodden avait été remplacé par le colonel Tancrète Rinfret, un homme très grand, très maigre, au regard bon, mais au tempérament anémique. Au mois d'août, le gouvernement fédéral avait également nommé un régisseur pour la ferme expérimentale : Pascal Fortier.

Ce fut à cette même période que le Canada apporta des changements à sa politique sur l'emprisonnement des étrangers dits ennemis. Depuis le début des hostilités, le Dominion n'avait cessé d'envoyer des troupes sur le front en Europe. Même la Police montée royale du Nord-Ouest y avait deux escadrons, le premier en France, l'autre en Sibérie. En mai 1916, ils étaient plus de quatre cent mille Canadiens à se battre outre-mer. La main-d'œuvre était devenue rare au pays et les compagnies de chemin de fer, les mines, les aciéries et les autres industries qui manquaient de capital humain pressaient Ottawa de remédier à la situation.

Le problème fut résolu en partie avec les prisonniers de guerre. Ces derniers, moyennant une promesse de loyauté aux lois canadiennes et l'obligation de se rapporter périodiquement aux autorités policières les plus proches, pouvaient alors travailler pour un employeur civil. Curieusement, les Allemands captifs, jugés trop dangereux, ne pouvaient participer à ce nouveau programme alors que les Ukrainiens étaient soudainement devenus des personnes recherchées.

À Spirit Lake, beaucoup de prisonniers se prévalurent de ces nouvelles dispositions du gouvernement canadien à leur égard. À partir du mois de mai, ils furent dispersés un peu partout en Ontario, au Québec et dans les provinces maritimes. Tel fut le cas de Jan Drobei. En juillet 1916, il avait quitté le camp pour aller travailler dans une aciérie de Sydney en Nouvelle-Écosse. À son départ, le lieutenant Meldrum lui avait remis soixante-quinze piastres en espèces.

— Seulement? avait demandé Drobei.

Et se tournant vers Joseph Nordman, près de lui :

— J'ai travaillé pour beaucoup plus que cela. Ils m'en doivent presque le double.

L'interprète avait demandé des explications. Indifférent, l'officier de l'intendance avait haussé les épaules, avant de répondre :

— Écoutez! C'est ce montant que le gouvernement a prévu pour les prisonniers qui sont libérés sur parole. Ils ne peuvent pas en recevoir plus.

— Mais que ferez-vous du reste de l'argent?

— Il reste à l'État. Point final!

Drobei n'en revenait tout simplement pas. Il s'était privé de gâteries. De peine et de misère, il avait économisé ses trente sous. Et voilà que le Canada lui soutirait une grosse partie du salaire gagné à la sueur de son front. « Décidément, ce pays est bien malhonnête, se dit-il, furieux. Heureusement! Je peux me refaire ailleurs! ».

À l'automne 1916, la France ayant un urgent besoin d'approvisionnement en acier, avait demandé l'aide des pays alliés. Pendant ce temps, chez nous, les responsables des chemins de fer menaçaient de fermer un grand nombre de leurs lignes, faute de pouvoir les entretenir. Le Canada fit alors d'une pierre deux coups. Des ordres provenant des hauts lieux arrivèrent jusqu'à Spirit Lake. C'est ainsi que le lieutenant Gilmour se retrouva au bureau du colonel Rinfret.

— Ottawa exige un effort de guerre immédiat. Quarante prisonniers suffiront pour faire le travail. Prenez-vous quinze gardes pour l'escorte !

— Oui, mon commandant !

Le lieutenant avait minutieusement choisi ses aides. Les soldats Twardy et Lazare en étaient. La veille du départ, ce dernier faisait son paquetage, le cœur serré. Il respectait Gilmour et le suivrait. De toute manière, il n'avait pas le choix. Mais c'est à Spirit Lake même qu'il se sentait le plus utile. Altruiste, il avait endossé l'uniforme avec la ferme conviction qu'ainsi il pourrait, d'une manière ou d'une autre, aider ces indigents, ses semblables. Leurs souffrances lui remuaient les entrailles. Des chances, il en avait couru à les secourir. Mais il devait prendre garde car la moindre indiscrétion le conduirait à coup sûr devant le peloton d'exécution. Il ne pouvait se confier à personne, pas même à son ami Twardy.

Lazare sortit un coffret de bois de son havresac. Il hésita un moment, promenant son regard tout autour de lui. Plus loin, John Twardy se préparait, lui aussi, à faire sa malle. D'autres gardes s'étaient attablés au milieu de la pièce et jouaient aux cartes. Près de lui, personne. Il ouvrit alors le couvercle et en tira divers documents. Puis, tout au fond, il mit la main sur une photographie. Le militaire contempla longuement l'image. En civil, il se tenait debout dans un champ de blé, en compagnie d'un autre jeune homme au visage souriant. À l'endos, une inscription :

Manitoba. Juillet 1913.
Iwan Gregoraszczuk et Pawel Lazarovici.

L'homme soupira, rangea le cliché, enroula le petit coffre dans des linges et serra le tout dans son grand sac de toile. Son secret était bien protégé.

Le lendemain, John Gilmour et les siens s'embarquaient à bord du train qui faisait la ligne Cochrane-La Tuque. Leur mission consistait à déneiger la voie, pelleter le charbon, entretenir les wagons et les locomotives, retirer les rails larges de cinq pouces et les remplacer par d'autres de trois pouces. Ce pénible travail dura jusqu'à la fin de l'hiver alors que l'acier ainsi récupéré prenait la direction de l'Europe via le port de Montréal.

On les vit passer à O'Brien, à Doucet ainsi qu'à Parent. Dans ce dernier patelin, le *bootlegger* du coin, Majorique Thiffault, était heureux comme un pape : son chiffre d'affaires avait plus que doublé au passage des militaires.

– Surtout de la Dow qu'ils prenaient! dira-t-il plus tard, en pérorant devant ses pairs au magasin général.

À la fin septembre 1916, il ne restait que très peu de prisonniers à Spirit Lake. C'était le calme absolu et Rinfret était aux anges. Mais il aurait dû se méfier de l'eau dormante.

À travers le Canada, les prisonniers revendiquaient leurs droits en vertu de la convention de La Haye et refusaient d'exécuter tout travail autre que celui nécessaire à leur propre bien-être. Les camps de concentration des montagnes Rocheuses furent bientôt paralysés par des arrêts de travail. Les prisonniers se plaignaient aussi des tortures et des brutalités subies aux mains des militaires. Les conditions qui y prévalaient furent vite l'objet de protestations diplomatiques de la part des gouvernements austro-hongrois et allemand et certains de ces camps furent fermés vers la fin du mois d'octobre 1916. Subséquemment, ces prisonniers de l'Ouest canadien furent transférés à Kapuskasing et Spirit Lake, où leur militantisme conduisit à une crise majeure.

Outre huit Allemands, plus d'une centaine de rebelles avaient débarqué en Abitibi, dont la majorité en provenance du camp Otter et les autres de Banff. À leur arrivée, les *boches* furent immédiatement installés dans la baraque numéro 4. Ils allaient l'habiter seuls. Pour eux, le travail obligatoire n'existait pas. Ils n'avaient qu'à s'occuper de leur petite personne et aller chercher le bois nécessaire à chauffer leur cabane. Les autres prisonniers avaient été réunis sous bonne garde dans la grande cour. Le sergent-major Jim Buckley était là, avec Joseph Nordman. Ils passaient dans les rangs et, à chacun des prisonniers, l'interprète posait la même question :

— Êtes-vous prêt à travailler ?

Un premier homme déclama :

— Le gouvernement m'a emprisonné, il doit pourvoir à mes besoins. Je n'irai pas travailler !

Hassan Taliman, un Turc, répondit d'un trait.

— Pas de paye, pas de travail.

Un autre :

— Pas question ! J'aime mieux crever !

Et ainsi de suite. Pour la première fois, Buckley voyait des hommes au regard aussi dur que le sien. Mais il se jurait de les mater. « Ces maudits canards vont se rendre compte qu'ils sont tombés sur un bec ! » Il aurait aimé tous les mettre en cage, mais il manquait de place. Cependant, les autorités du camp avaient prévu le coup et une solution tordue avait été trouvée.

— Traduisez, monsieur Nordman !

S'adressant aux prisonniers, le sergent-major se mit à crier, faisant de temps en temps des pauses pour permettre à l'interprète de passer le message.

– Bande d'abrutis! Vous serez regroupés dans les baraques 5 et 3… Vous n'aurez droit qu'à trois couvertures… Pour vous, pas de correspondance avec vos proches! Nous ne sommes pas ici pour vous servir… Il vous faudra aller chercher votre bois de chauffage dans la forêt… Vos repas seront servis froids… À vous de cuire votre viande!

Puis, à l'attention des gardes :

– Conduisez-moi ces merdeux dans leurs chiottes!

C'était le début de la fin. Stefan Galan était enchanté. « Enfin! Je ne suis plus seul. » Il avait pris sur lui de marauder auprès des autres prisonniers, incitant à la grève. Petit à petit, des camarades adhéraient à l'idée mais hésitaient encore à poser le geste. D'autres y étaient farouchement opposés. Parmi ces derniers, un des prisonniers de la baraque numéro 2 avait raconté :

– À Castle Mountain où j'étais avant, j'ai vu un prisonnier se faire transpercer d'un coup de baïonnette parce qu'il refusait de travailler. C'était Noël passé. Moi, ça me fait peur. Je ne marche pas!

Mais le mutin était confiant. Il continuait sa croisade, se faisant toujours plus persuasif.

– C'est dans l'union que nous serons forts et que nous pourrons forcer nos geôliers à respecter nos droits. Je vous le dis! Ces chiens vont abdiquer si nous nous tenons les coudes serrés.

Après le départ de Jan Drobei, Maftey Rotari l'avait remplacé comme capitaine de la baraque numéro 1. Il venait d'y distribuer le courrier : une lettre pour Frank Wenzel et une autre pour Henry Romaniuk.

– Ah merci! C'est de ma mère! s'était écrié joyeusement ce dernier.

Le menuisier ne croyait pas à la grève et ne cachait pas son opinion à son ami Galan. Leur couche étant voisine l'une de l'autre, les deux hommes se parlaient régulièrement, l'un cherchant à rallier l'autre. Aussi, quand Rotari retourna à son lit, il se hasarda une autre fois.

— Cela ne ferait qu'empirer nos malheurs. Pourquoi continues-tu ?

L'autre hocha la tête, puis d'une voix frémissante de conviction :

— Écoute-moi bien ! Ils nous obligent à travailler pour autre chose que notre bien-être. Ça, c'est contraire à la convention de La Haye. Aussi, depuis longtemps notre nourriture est infecte. Les hommes eux, sont de plus en plus faibles. Et que dire du moral ? Les cas de folie se multiplient. Déjà douze des nôtres ont pris le chemin de l'asile. La tuberculose, elle, fait encore des ravages. Nos gens tombent comme des mouches. Zrobok nous a quittés la semaine dernière. Regarde l'autre là-bas ! Il ne fait que tousser la nuit. Je suis certain qu'il est atteint du mal. Si on ne se réveille pas, on va tous y passer. Ces Canadiens ne nous tueront pas d'une balle dans la tête. C'est à petit feu qu'ils font ça. C'est pire !

— Mais…

— Nooooon !

Les deux interlocuteurs se tournèrent dans la direction d'où venait ce cri déchirant. Ils virent Romaniuk assis sur son lit, rejeter la tête en arrière d'un geste de profonde émotion, pour ne pas dire de révolte. Sa main se crispait sur une feuille de papier.

— Pourquoi ? Pourquoi ? répétait-il sans cesse, les yeux rivés au plafond, comme s'il demandait des comptes à quelqu'un caché là-haut.

Rotari se précipita, suivi de Galan. Ils furent bientôt rejoints par Frank Wenzel et d'autres encore.

— Qu'y a-t-il, Henry ?

Pour toute réponse, Romaniuk tendit la feuille froissée d'une main tremblante. Le capitaine la prit et lut à haute voix :

Mon cher fils.

Un grand malheur est arrivé. Le gouvernement du Canada vient de m'aviser que Roman a été tué au combat en France le 15 septembre dernier…

– Qui est ce Roman? demanda quelqu'un dans un murmure.
– C'est son frère, répondit Wenzel, à voix basse. Il s'était enrôlé à Montréal en se faisant passer pour un Russe.

Près d'une semaine s'était écoulée depuis l'arrivée des prisonniers de l'Ouest et le sergent-major n'avait pas encore réussi à les réduire à l'obéissance. Il voulait arriver à ses fins et pour cela, il avait mijoté un dessein démoniaque. Au lieutenant Patrick Cousins, devenu officier de service de jour, il suggéra :
– Que même les prisonniers qui travaillent reçoivent leur ration froide! Ils vont se retourner contre les rebelles. Ça forcera ces derniers à réviser leur position.
C'est sans peine que le sous-officier reçut le soutien de son supérieur.
– Bonne idée! Je vais faire part de votre suggestion à Labelle.
Le colonel Rinfret était déjà dépassé par les événements lorsqu'il prit connaissance du projet de Buckley. « C'était pourtant si simple à Beauport et à Valcartier » se disait-il. Il considéra la chose mais, incapable de prendre une décision, il finit par déléguer.
– Occupez-vous de ça, capitaine!
Quand Buckley apprit que son plan avait été retenu, il jubila. « Bientôt, ces bêtes sauvages vont se dévorer entre elles », conclut-il.

Le même jour, quand Frank Wenzel et son équipe allèrent chercher le souper pour les gens de leur baraque, ils n'eurent que du bœuf rouge et des légumes crus pour toute ration.

— C'est quoi ça ? demanda-t-il à Julian Zator, insulté.

— Ce sont les ordres qu'on a eus. Vous devez cuire vous-même vos aliments. Je suis désolé.

— Mais on est pas en grève, nous !

— Je sais bien, Frank. C'est à cause des gars de l'Ouest.

Wenzel cracha :

— Ils sont fous ces Canadiens ! Si c'est une révolte qu'ils veulent, ils vont l'avoir !

Stefan Galan venait de se trouver un allié.

Le temps était nuageux, terriblement gris en ce 1er novembre 1916. Même la forêt semblait se rembrunir. Le vent soufflait toujours le froid devant lui, comme s'il voulait s'en servir pour cristalliser le pays et ceux qui l'habitaient.

Ce matin, comme à l'habitude, les Ukrainiens, le chapeau bien enfoncé et le col relevé, avaient été réunis dehors avant d'être dirigés vers leurs lieux de travail. Buckley allait donner l'ordre de départ, quand quelqu'un gueula :

— Grève ! Grève !

L'interprète Nordman, qui s'apprêtait à quitter les lieux, resta. « On va avoir besoin de mes services, je crois. » Le sergent-major cherchait des yeux celui qui avait parlé. Mais d'autres voix s'étaient jointes à la première. Bientôt, c'était la majorité des prisonniers qui déclamaient :

— Grève ! Grève ! Grève ! Grève !

Les vociférations s'entendaient jusqu'au bureau du commandant Rinfret. Ce dernier était pétrifié.

— Allez voir ce qui se passe ! demanda-t-il au capitaine Labelle.

Quand l'adjoint du colonel se rendit dans la cour, les soldats avaient déjà les armes levées.

— Baïonnette fixe ! venait de tonner Buckley.

Le cliquetis du métal s'entremêlait avec les cris des forçats.

— Attendez ! Qu'arrive-t-il, sergent-major ?

Le sous-officier fit son rapport. Il avait la voix tremblante et un éclair de folie dans les yeux.

— C'est une rébellion, monsieur! Mais ils ne sont pas de taille. Je vais arranger ça bien vite.

— Reprenez-vous! Que vouliez-vous faire? Les embrocher?

— Quoi? Euh… bien sûr que non…

Buckley avait visiblement perdu ses moyens. « Il était moins une! » pensa le capitaine qui annonça :

— Je prends la relève!

Le sergent-major se renfrogna. Tandis que les prisonniers continuaient de hurler, Labelle fit signe à Nordman de s'approcher.

— Demandez-leur ce qu'ils veulent!

— Dans ce vacarme?

Le capitaine haussa les épaules. Il sortit son long revolver, le pointa vers le haut et tira un coup, deux coups. Les détonations firent taire les Ukrainiens qui ne faisaient maintenant que chuchoter.

— Vous pouvez y aller maintenant!

Un trémolo dans la voix, l'interprète s'adressa aux prisonniers. Par la suite, c'est Stefan Galan qui prit la parole d'un air assuré. Quand il eut terminé, Nordman reformula :

— Ils ne veulent plus travailler. Ils se plaignent aussi de la nourriture.

— Très bien! dit Labelle. Que les dissidents s'avancent d'un pas! Demandez!

Galan s'exécuta le premier. Il fut aussitôt suivi de Frank Wenzel, Oftude Boka et d'autres encore. Ils étaient au-dessus de cent à mettre un pied devant. Seulement quarante n'avaient pas bougé, dont Maftey Rotari.

Le capitaine balaya alors du regard les hommes devant lui :

— Bon! Sergent-major, servons-leur la même médecine que les autres. Et les meneurs, au cachot!

— À vos ordres!

Labelle s'en retourna. Pendant ce temps, Buckley, qui avait repéré Galan et Wenzel, les fit coffrer. Les autres mutins furent confinés dans leurs quartiers tandis que les travailleurs étaient relocalisés dans la baraque numéro 2.

Le même jour, des soldats se présentèrent dans la cabane des nouveaux grévistes pour leur enlever des couvertures de laine. « Trois suffiront! », avait dit leur supérieur.

Le vent était à la panique. La rumeur traversa même les confins du pays. Le Secrétaire d'état américain avait délégué en toute vitesse au camp de Spirit Lake le consul en poste dans la ville de Québec, G. Willrich. Le diplomate était un homme d'origine germanique. Il était grand, le visage sympathique, les yeux clairs et brillants d'intelligence. Il arriva en Abitibi le 16 novembre 1916. Le colonel Tancrète Rinfret l'attendait au poste de garde avec des nœuds dans l'estomac. Il était accompagné du capitaine Labelle. C'est ce dernier qui suivrait Willrich tout au long de son inspection.

– Je... J'ai fort à faire, avait dit Rinfret.

L'inspection du camp commença dès le premier jour par la visite de la baraque des prisonniers-travailleurs. Willrich avait décidé d'y aller sur l'heure du dîner. Quand il y pénétra en compagnie de Labelle, les deux poêles à bois chauffaient. Certains Ukrainiens y faisaient griller leur viande. D'autres attendaient en ligne avec leur steak en main. Le petit nombre qui était attablé mordait déjà dans le bœuf encore saignant.

Tout en marchant dans la place, le consul saluait les hommes, parlant dans leur langue. Ces derniers tombaient des nues : pour une fois, un officiel communiquait directement avec eux. À son passage, leurs regards s'illuminaient. Willrich sentait bien qu'ils en avaient long à lui dire. Arrivé près de Henry Romaniuk, il s'arrêta. Le prisonnier venait de repousser son repas. L'Américain se pencha et sentit la viande. L'odeur le repoussa. Il jeta un regard réprobateur vers Labelle qui avait détourné les yeux.

– Ce morceau de viande est avarié. J'ose espérer que ce malheureux peut se servir de nouveau.

– Mais… Bien sûr…

L'inspecteur s'adressa alors à Romaniuk qui gardait la tête baissée.

– Mon ami, vous pouvez aller chercher une autre assiette !

À la baraque numéro 5, Willrich fut bouleversé par ce qu'il constata. Le seul poêle de l'endroit était éteint. Le froid, s'infiltrant par les murs extérieurs mal isolés, faisait frissonner les captifs qui s'étaient blottis les uns contre les autres comme un troupeau de moutons en hiver. Les couches étaient sans matelas. Par terre, dans une boîte, de la viande crue.

– Ils sont trop paresseux pour aller dans la forêt y chercher le sapinage pour leurs lits ainsi que leur bois de chauffage, avait expliqué Labelle.

– Mais c'est inhumain ! Pourquoi dans la forêt ? Et à quoi sert donc cette centaine de cordes de bois que j'ai vues le long de la voie ferrée à mon arrivée ?

– Euh…

Le capitaine cherchait toujours sa réponse que déjà Willrich avait fait volte-face, se dirigeant d'un pas rapide vers l'extérieur.

– Où allez-vous ? criait l'officier qui suivait derrière.

Le consul ne répondait pas. Dehors, il s'était dirigé vers un traîneau qu'il empoigna par la corde et le tira jusqu'à la baraque voisine. Celle des Allemands. Il s'y engouffra comme un coup de vent.

– Venez m'aider à ramasser du bois ! s'écria-t-il.

La réponse des *boches* le stupéfia.

– *Nein !* disaient-ils d'une même voix.

Persévérant, Willrich braqua un regard pénétrant sur Labelle, venu le rejoindre.

– Vous avez des chevaux, je crois ?

– Oui.

— Très bien! J'aimerais qu'un chariot soit attelé. Ensuite, je ferai le tour des autres baraques et demanderai qu'on m'accompagne pour aller chercher du bois.

— Je doute que vous réussissiez, monsieur le consul. Mais allons-y quand même.

Les deux hommes se rendirent à l'écurie. Il y avait là une vingtaine de magnifiques chevaux et des balles de foin à profusion.

— Je constate qu'à Spirit Lake, les animaux sont mieux traités que les êtres humains, ironisa Willrich. Il y a ici de quoi faire de bonnes paillasses, ne croyez-vous pas?

— …

Une jument de trait fut rapidement attelée à une voiture sur longs patins de bois.

— Allez! Hue! cria le consul, debout dans le grand traîneau.

Il alla ainsi de baraque à baraque. Celle des travailleurs était déjà déserte. Aux autres portes, une déception l'attendait : aucun gréviste ne voulut l'accompagner.

— Mieux vaut crever! disaient-ils d'un commun accord.

En fin de journée, Willrich était moralement épuisé. Toujours accompagné de Labelle, il se rendit au nouveau mess des officiers en empruntant une allée déblayée pavée de roches décoratives.

— Très beau comme ornement! laissa tomber le consul d'un ton las. L'œuvre de prisonniers?

— Ils ont bien travaillé, n'est-ce pas? Cela en a pris des heures de labeur!

— Ouais…

Au souper, l'invité avait pris place auprès du colonel. Une douce chaleur envahissait la salle à manger. On avait servi du filet mignon. Sur la table, des litres de rouge. Tout autour, les officiers dégustaient, lançant à l'occasion des banalités. « Ils se complaisent dans ce luxe alors que tout près, des gens se meurent de froid et de faim » se dit Willrich, dégoûté. Il n'avait presque pas touché à son assiette. Le vin? Il s'en était abstenu.

– Vous êtes souffrant ? avait demandé Rinfret.

– Je suis indisposé, en effet. Dites-moi, commandant, comment se fait-il que les baraques des prisonniers soient si mal isolées ?

L'autre toussa.

– Je sais. Des travaux urgents nous ont malheureusement retardés. Mais nous allons y voir très bientôt.

« Après deux ans… quand même ! » se dit Willrich qui continua.

– Je voudrais aussi vous parler des repas. Vous avez ici de grandes cuisines bien organisées. Pourquoi alors servir de la nourriture crue à ces pauvres personnes ? Pourquoi trouve-t-on de la viande avariée dans les assiettes ?

Rinfret blêmit.

– Les détenus n'ont qu'à s'en prendre à eux-mêmes. Avec cette mutinerie, nous n'avons plus assez de cuisiniers pour suffire à la tâche. Pour ce qui est de la qualité de la viande, je dois admettre que nous avons des problèmes depuis que M. Pascal Fortier ne s'occupe plus des cuisines. Mais soyez assuré que le problème sera réglé.

– Ah bon !

– Et qu'avez-vous prévu pour les prochains jours, mon cher Consul ?

– J'aimerais rencontrer les captifs. Parler avec eux. Vous n'y voyez pas d'inconvénient ?

– Bien sûr que non ! Je vous ferai accompagner.

Le lendemain matin, Willrich présidait une rencontre avec les prisonniers au gymnase situé tout près des quartiers des officiers. Une grande table avait été apportée. Installé derrière, le consul était entouré de Labelle et de Buckley. L'interprète Nordman s'y trouvait aussi : les militaires voulaient savoir ce qui se dirait. Un premier Ukrainien se présenta. L'Américain lui posa des questions mais l'homme, qui promenait son regard apeuré sur les autres, hésitait à répondre. Le consul eut vite fait de constater un manège du sergent-major. Celui-ci fixait le proscrit de ses yeux durs, cherchant à l'intimider.

– Bon! J'aimerais rencontrer ces gens en privé.

– Mais vous ne pouvez pas! répondit Labelle.

– Et pourquoi pas?

– Vous les verrez en notre présence ou pas du tout!

Willrich se leva, sec.

– C'est ce que nous allons voir. Conduisez-moi à votre commandant!

Finalement, ce fut le général Otter lui-même qui, rejoint au téléphone, donna son accord. Le consul put ainsi recueillir des témoignages et des plaintes qui ne seraient jamais parvenus jusqu'à lui autrement.

Les grévistes étaient unanimes. La nourriture était infecte depuis longtemps, les accidents de travail, fréquents. Buckley, lui, était une brute qui les traitait comme des criminels et les violentait. Et il y avait d'autres tortionnaires. Oftude Boka :

– Je suis arrivé à Montréal en 1912 et je suis emprisonné à Spirit Lake depuis un an. J'ai pioché tout l'hiver à aller chercher du bois en traîneau. Mal nourri et malade, j'ai voulu aller au dispensaire. Le caporal a refusé et m'a battu. Je ne veux plus travailler. Je me fous de mourir.

Un autre détenu expliqua :

– Je ne peux plus besogner. J'ai des rhumatismes. J'ai été au dispensaire mais le docteur m'a jeté dehors, disant qu'il n'avait pas de médicaments pour les mutins.

Beaucoup de prisonniers disaient la même chose. Les plaintes s'accumulaient de jour en jour. Le dimanche suivant, le consul rencontra un des cuistots.

– Je travaille à la cuisine du camp depuis dix mois. Ça fait dix-huit jours que nous ne cuisinons plus la viande. J'en ai assez! Je vais me joindre aux grévistes.

Un autre :

– Interné à Spirit Lake, j'ai accepté d'aller travailler pour une compagnie. Je devais être payé deux piastres et demie par jour.

Arrivé là, c'est vingt-cinq cents que je recevais. J'ai quitté mon emploi. On m'a arrêté et je suis revenu ici.

Le cas suivant ébranla Willrich au plus haut point.

– Je suis marié et père de quatre enfants. En mars 1916, j'étais à Edmonton et travaillais pour Swift Packing Company. Je me payais une petite maison que je rénovais au fur et à mesure. Puis, j'ai été arrêté et conduit à Lethbridge. Plus tard, on m'a transféré à Spirit Lake, à plus de 1 600 milles des miens. Là-bas, ma femme est forcée de mendier. Mes filles sont affamées et sont exposées au froid dans une maisonnette mal construite.

En terminant son récit, le prisonnier se moucha du revers de la manche pour ensuite porter la main à l'intérieur de sa chemise. Il en sortit une lettre qu'il présenta au consul.

– Lisez! dit-il, l'émotion dans la gorge. Ça vient de mon aînée, Katie. Elle a seulement neuf ans.

Willrich déplia la feuille et lut.

Cher papa,

Je ne vais plus à l'école. Nous n'avons rien à manger. Maman doit mendier notre pain à tous les jours. Aussi, il fait très froid dans notre cabane. Ils ne veulent pas nous donner du bois. C'était mieux quand tu étais là. On ne manquait de rien alors. Je t'en prie, reviens vite à la maison.

Katie Domytryk

John Ardylar, un résident américain, arrêté alors qu'il traversait au Canada, fut le dernier prisonnier rencontré par le consul.

– Quand j'étais interné aux camps de Kingston et de Petawawa, je n'avais pas à travailler. Arrivé à Spirit Lake, mon refus m'a valu le cachot. Pendant cinq jours, j'ai été nourri au pain et à l'eau.

Peu avant son départ, le consul avait visité la première section du dispensaire. De là, il pouvait entendre les quintes interminables provenant de l'aile des condamnés dont l'accès était interdit. Dans un bureau, Willrich trouva le major William, aigri. À la question de l'inspecteur concernant les soins médicaux refusés aux grévistes, le médecin répliqua d'une voix agressive.

— Ces mutins se déclarent malades seulement pour pouvoir accéder à une place chaude. Je n'ai pas le temps de jouer à ça. J'ai toute une partie du dispensaire remplie de tuberculeux dont je dois m'occuper.

— Dites-moi, major. Combien de ces prisonniers sont décédés depuis l'ouverture du camp?

— Avec ce Galicien qui a été tué par un colon, ils sont quinze en tout. Morts de la tuberculose surtout. Parmi eux, six enfants du village.

— Et avec les conditions qui prévalent ici, combien d'autres cadavres aurez-vous demain? Et le mois prochain?

Le consul Willrich quitta l'Abitibi le 21 novembre 1916. Ce même jour, François-Joseph d'Autriche rendait l'âme. Le glas avait aussi sonné pour Spirit Lake.

Épilogue

L A DÉCISION de fermer Spirit Lake est prise dès novembre 1916. Il n'y reste que 275 prisonniers sur les 1 312 qu'ils étaient plus tôt la même année. Le 11 janvier suivant, les captifs prennent la direction du camp de Kapuskasing, laissant derrière eux vingt et un morts. Plus tard, les corps d'Iwan Bator et de Carolka Manko seront exhumés pour être enterrés au cimetière catholique d'Amos.

À la fin des opérations, quand le général William Otter ferme ses livres, une somme de 9 510 $ reste dans le compte des salaires dus aux prisonniers de Spirit Lake : l'équivalent de plus de 38 000 jours/homme de travail.

Avec ses dix-neuf croix noires pour la plupart abîmées, le cimetière désolé de La Ferme nous rappelle aujourd'hui ce sombre épisode de notre histoire. Il n'existe pas de monument sur l'ancien site de Spirit Lake pour évoquer le souvenir de ces hommes, ces femmes et ces enfants qui ont été emprisonnés. Ces personnes avaient pourtant cru en ce grand pays qu'est le Canada, mais le vent malade de la guerre a vite eu fait de balayer au loin leurs espoirs et leurs rêves.

Les restrictions et les inconvénients étaient inévitables pendant la Grande Guerre ; mais le viol des libertés, les mauvais traitements, la sévérité des punitions injustifiables et les indignités que subirent ces êtres humains ne peuvent pas être ignorés. Ces faits nous rappellent durement combien fragiles sont les droits de la personne en temps de crise.

Cette page de notre histoire fut longtemps obscure : la plus grande partie des archives a été détruite dans les années cinquante et soixante. Seules deux survivantes de ces camps de concentration sont connues de nos jours : Mary Manko Haskett et Stefania Mielniczuk Pawliw. Enfants, elles étaient à Spirit Lake.

Depuis 1980, les Ukrainiens du Canada tentent d'obtenir des excuses officielles. Les Mulroney, Copps, Charest et Chrétien sont bien au fait de ce dossier, mais cette demande, pourtant si légitime, reste toujours lettre morte. Pour aspirer à grandir vraiment, un pays doit passer par la reconnaissance de ses erreurs passées. Le Canada attend-il donc que les dernières survivantes de ces camps s'éteignent pour ensevelir définitivement avec elles ce triste souvenir du temps des libertés défendues ?

Annexe

LES PRISONNIERS UKRAINIENS

Ardylar, John
Boka, Oftude
Debroska, Jacob
Drobei, Jan
Galan, Stefan
Gregoraszczuk, Iwan
Growaska, Pitre
Heyciak, Fred
Pawliuk, Absenky
Rak, Stanislas
Romaniuk, Henry
Rotari, Maftey
Semeniuk, Gawryl
Veink, Rodolphe
Wenzel, Frank
Zator, Julian
Zrobok, Mike

LES FAMILLES PRISONNIÈRES

Famille Bator : Peter et Antonia. Leur fils Iwan est décédé à Spirit Lake. Ils y ont eu un autre fils : Paul, baptisé à Spirit Lake.

Famille Karpiuk : Mirko, son épouse Anna et l'enfant Iwan, né et baptisé à Spirit Lake.

Famille Manko : Andruk et Katharina, leurs enfants John, Mary, Anne et Carolka, décédée à Spirit Lake. Mary vit encore.

Famille Mielniczuk : Ignacy et Mary. Leur fille Stefania vit encore.

Famille Romaniuk : Feodor et Matronna. Leur fille Anny est née
et fut baptisée à Spirit Lake.

LES CIVILS
Cyr, Jos, squatter dans la région de La Sarre.
Fortier, Pascal, chef cuisinier, puis régisseur.
Nordman, Joseph, interprète.
Olynyk, Samuel, résidant de Montréal, d'origine ukrainienne.
Rodden, Bridget, épouse du lieutenant Cousins. Son enfant Ethel
Margaret est née et fut baptisée à Spirit Lake.
St-Denis, Paul, contremaître.
Therrien, Marie, épouse du major J.E. Hébert Therrien, décédée
à Spirit Lake.
Thiffault, Majorique, bootlegger à Parent.
Zimmerman, Frantz, squatter d'origine germanique dans la
région de La Sarre.
Zimmerman, Lother, squatter d'origine germanique dans la
région de La Sarre.

LES RELIGIEUX
Dudemaine, J.O.Viateur, prêtre à Amos.
Redkevych, Ambroziy, prêtre ukrainien.

LES DIPLOMATES
Marsh, Gaylord, vice-consul américain.
Pradley, Harrison, consul-général américain, Montréal.
Willrich, G., consul américain, Québec.

LES MILITAIRES
Berger, Bernard, caporal.
Buckley, Jim, sergent-major.
Cousins, Patrick, lieutenant.
Gimour, John, lieutenant.
Labelle, capitaine.

Lazare, Paul, soldat.
Maranda, Alexandre, soldat.
Meldrum, lieutenant.
Otter, William Dillon, général.
Rinfret, Tancrète, colonel.
Rodden, William, colonel.
Romaniuk, Roman, soldat tué au combat en France.
Therrien, J.E.Hébert, major, médecin.
Twardy, John, soldat.
William, major, médecin.

LISTE CONNUE DES PERSONNES TUBERCULEUSES À SPIRIT LAKE

Antoniuk, John
Borbandy, Steve
Bozescel, Iwan
Buly, Steve
Gruszecki, Pawel
Heyciak, Fred
Kalcina, Ignacy
Padealuk, Harry
Pawliuk, Absenky
Szyszul, Harry
Tkach, George
Ulian, Wasyl
Verestiuk, Stefan
Yalecy, Jack
Zrobok, Mike

LISTE CONNUE DES DÉCÈS À SPIRIT LAKE

Baby, Jeanette, enfant décédée avant décembre 1915. Inhumée à Spirit Lake.
Barontiecki, Karol, décédé le 7 août 1915. Inhumé à Spirit Lake.

Bator, Iwan, enfant décédé le 3 mai 1915. Réinhumé à Amos.

Ciupa, Olga, enfant décédée avant décembre 1915. Inhumée à Spirit Lake.

Gregoraszczuk, Iwan, tué à La Sarre le 7 juin 1915. Inhumé à Spirit Lake.

Gruszecki, Pawel, décédé le 7 août 1916. Inhumé à Spirit Lake.

Huczak, Andrej, enfant décédé avant décembre 1915. Inhumé à Spirit Lake.

Manko, Carolk, enfant décédée le 22 mai 1915. Réinhumée à Amos.

Pabi, Jan, enfant décédé le 29 mars 1916. Inhumé à Spirit Lake.

Pawliuk, Absenky, décédé le 25 novembre 1915. Inhumé à Spirit Lake.

Tkach, George, décédé le 16 juin 1916. Inhumé à Spirit Lake.

Ulian, Wazyl, décédé le 1er août 1916. Inhumé à Spirit Lake.

Verestiuk, Stefan, décédé le 9 mai 1916. Inhumé à Spirit Lake.

Waselenczuk, Gregory, décédé le 5 octobre 1916. Inhumé à Spirit Lake.

Zrobok, Mike, décédé le 17 octobre 1916. Inhumé à Spirit Lake.

Madame J. Eudore Hébert Therrien, décédée le 24 janvier 1916. Inhumée à Trois-Rivières.

LISTE DES PRISONNIERS DÉCÉDÉS DE MORT VIOLENTE AU CANADA

Bauzek, John, abattu à Montréal, Québec, le 1er mai 1915.

Becker, Kurt, abattu à Nappan, Nouvelle-Écosse, le 25 août 1916.

Claus, Fritz, abattu à Amherst, Nouvelle-Écosse, le 24 juin 1915.

Grapko, Andrew, abattu à Brandon, Ontario, le 5 juin 1916.

Gregoraszczuk, Iwan, abattu à La Sarre, Québec, le 7 juin 1915.

Mueller, Leo, assassiné par un autre prisonnier à Vernon, Colombie Britannique, le 8 juillet 1919.

Rebers, Carl, abattu à Capreol, Ontario, le 30 décembre 1918.

Stehr, Paul, mort dans un accident de train, près du village de Stackpast, Ontario, le 22 janvier 1919.

Bibliographie

PUBLICATIONS

ALBUM-SOUVENIR, *Abitibi cinquantenaire,* Amos, 1964.

ABLEY, Mark, « A Time Forgotten », *The Gazette,* Montréal, 31 janvier 1998.

DIAKOWSKY, Myroslaw (dir.), *The Ukrainian Experience in Quebec,* The Basilion Press, Toronto, 1994.

Dans cet ouvrage, on retrouve les essais suivants :

ANTONOVYCH, Marko, « The World View of Ukrainians in Quebec » ;

BOULET, Francine, « One Hundred Years of Ukrainian Life in Black Lake » ;

KELEBAY, Yarema Gregory, « Three Solitudes: A History of Ukrainians in Quebec » ;

LACH, Marian et *al.,* « Ukrainian Canadian Participation in Canada's Wars » ;

MOMRYK, Myron, « The Ukrainian Community in Val-d'Or, Québec » ;

MELNYCKY, Peter, « Badly Treated in Every Way ».

LAFLAMME, Jean, *Spirit Lake,* Montréal, Maxime, 1989.

PLATIEL, Rudy, « Waiting and Hoping for Redress », *The Globe and Mail,* 27 mars 1993.

« Prisonniers qui s'échappent », Québec, *Le Soleil,* 9 juin 1915. Non signé.

ARCHIVES

ARCHIVES NATIONALES DU CANADA, *Tubercular Prisoners in Spirit Lake Camp Hospital,* Ottawa, 8 juin 1920, Rg 117, vol. 20.

MILITIA BOOK, *Spirit Lake Internment. Village Inhabitants on the 1st of December 1915,* Spirit Lake, 1915-1916, n° 60, collection « John Perocchio ».

MÉDIAGRAPHIE

CÔTÉ ST-DENIS, Irène (fille du contremaître Paul St-Denis), Val d'Or, collection photographique, 1916.

LUHOVY, Yurij, *Freedom Had a Price,* (vidéocassette), Montréal, Maison de montage Luhovy inc., en collaboration avec l'Office national du film du Canada, 1994, 55 minutes.

Table des matières